ESTE DIARIO PERTENECE A:

Nikki J. Maxwell

PRIVADO Y CONFIDENCIAL

SE RECOMPENSARÁ
su devolución en caso de extravío

(¡¡¡PROHIBIDO CURIOSEAR!!!☹)

Rachel Renée Russell

diario de
NIKKI 11

MEJORES
ENEMIGAS
PARA SIEMPRE

RBA
OCEANO

NOTA DEL EDITOR:

Ésta es una obra de ficción. Los nombres, personajes, lugares y eventos son producto de la imaginación del autor o están usados de manera ficticia, así que cualquier parecido con personas reales, vivas o fallecidas, establecimientos comerciales, sucesos o lugares, es fortuito.

Título original: *Dork Diaries 11: Tales from a Not-So-Friendly Frenemy*

Publicado en 2016 por acuerdo con Aladdin, un sello de Simon & Schuster Children's

Publishing Division, 1230 Avenue of the Americas, Nueva York NY (USA)

© del texto y las ilustraciones: Rachel Renée Russell, 2016

© de la traducción: Isabel Llasat Botija, 2017

Diseño: Lisa Vega
Maquetación y diagramación: Anglofort, S.A.

© 2017, RBA Libros, S.A.
Avenida Diagonal 189, 08018 Barcelona
www.rbalibros.com / rba-libros@rba.es

Editado por RBA Editores México, S. de R.L. de C.V.
Av. Patriotismo 229 piso 8 – Col. San Pedro de los Pinos
03800 – Del. Benito Juárez, México, Ciudad de México

D.R. de esta edición, Editorial Océano de México, S.A. de C.V., 2017
Eugenio Sue 55, Colonia Polanco Chapultepec,
Delegación Miguel Hidalgo, 11560, Ciudad de México

www.oceano.mx
info@oceano.com.mx

Primera edición: 2017
Segunda reimpresión: febrero de 2018

ISBN: 978-607-527-222-1

Impreso en México / Printed in Mexico

Impreso en los talleres de Litográfica Ingramex, S.A. de C.V.
Centeno 162-1. Col. Granjas Esmeralda 09810, Ciudad de México

A Camryn Chase

¡Eres grande! ¡Sigue bailando!

¡¡NOOOOOO!! ¡¡☹!!

¡¡NO PUEDO creer que esto me esté pasando a mí!!

¡Ayer me enteré de que me tocará pasar una semana en la Academia Internacional North Hampton Hills dentro de un programa de intercambio de alumnos!

Sí, lo sé, la NHH es un colegio MUY prestigioso, famoso por sus alumnos excelentes, su disciplina académica, sus uniformes tan chics y un recinto precioso que es una mezcla de Hogwarts y un hotel de cinco estrellas.

Muchos alumnos darían SU CELULAR por la oportunidad de ir allí.

¡¡¿POR QUÉ entonces me da tanto HORROR a mí?!!

Pues porque ¡TAMBIÉN es el colegio al que acaban de trasladar a cierta REINA DEL MELODRAMA! ¡☹!

1

¡Sí, es cierto! Por desgracia...

¡MACKENZIE HOLLISTER ESTUDIA EN
NORTH HAMPTON HILLS!

El adjetivo "manipuladora" se queda corto para ella. Es una SERPIENTE DE CASCABEL con brillo de labios, aretes de aro y extensiones rubias...

¡¡SSSSSSS!!

Y, por alguna razón, ¡me ODIA a MUERTE!

¡Pero ahora van a ALUCINAR!

Según el último chisme (de su hermana pequeña Amanda a mi hermana pequeña Brianna), se ve que ¡unas chicas de North Hampton Hills se han dedicado a darle CON TODO a MacKenzie!...

¡SE BURLABAN DE MACKENZIE
POR AQUEL VIDEO
CON EL BICHO EN EL PELO!

¡Y SE DEDICARON A HACERLE
LA VIDA IMPOSIBLE!

¡Pero las cosas se ponen aún más RARAS!

Hace unos días vi a MacKenzie en la pastelería Dulces
Cupcakes y estaba con algunas de sus nuevas amigas
HACIÉNDOSE pasar por... ¡MÍ!

¡La escena era tan ABSURDA que hasta me asusté y todo! Me dieron ganas de salir corriendo hasta la COMISARÍA más cercana y gritar...

Gracias a MacKenzie, mi vida es un

¡¡DRAMÓN eterno!!

En menos de un mes, MacKenzie:

1. me dio un pelotazo en la cara,

2. me robó el diario,

3. me usurpó la sección de consejos del periódico,

4. me acusó de ciberacoso

Y

5. se hizo pasar por MÍ.

Para hacer todo eso...

hace falta estar...

¡LOCA DE REMATE!

Cuando MacKenzie se fue de la escuela, esperaba no volver a verle la carota NUNCA más.

Pero ¡¡¡NOOOO!!!

La semana que viene estaré condenada a ir cada día a North Hampton Hills con una USURPADORA DE IDENTIDAD despreciable y adicta al brillo de labios. ¡☹!

Sólo espero PORFA, PORFA, PORFA que a mis BFF Chloe y Zoey también les toque ir allí.

¡Con ellas a mi lado puedo superarlo prácticamente TODO!

¡Incluso una semana DOLOROSAMENTE larga y MISERABLE con mi PEOR enemiga!

¡☹!

Acabo de llegar a la escuela y todos los de mi grupo están alteradísimos con lo de la Semana de Intercambio de Alumnos.

Me muero de ganas de comentarlo con Chloe y Zoey.

Aunque ahora mismo tengo tanto SUEÑO que se me cierran los ojos.

Y es que ayer mis padres me sorprendieron con un...

¡CACHORRITO!

¡Sí, en serio! ¡La familia Maxwell tiene una perrita!

Se llama Daisy y es una golden retriever.

Es una cosita dulce y feliz que no se está quieta.

La QUIERO tanto que he pensado en crear una nueva fragancia exclusiva para preadolescentes llamada...

¡¡ALIENTO DE CACHORRO!!

¡Daisy es PERFECTA! ¡¡☺!! Es SUPERjuguetona y tan graciosa que me hace reír un montón.

Total, que estaba tan estresada con lo de tener que ir a North Hampton Hills que esta noche apenas he dormido.

Claro que Daisy tampoco ayudaba. Mira que la quiero, pero empiezo a pensar que ojalá tuviera un botón de ENCENDIDO y APAGADO, porque...

¡ESTA COSA NUNCA DUERME!

Y cada vez que conseguía dormirme un poco, le daba
por aburrirse y sentirse sola y quería JUGAR...

¡DAISY DECIDE DESPERTARME!

¡YO, ATACADA POR UNA FEROZ BOLA DE PELOS EN MITAD DE LA NOCHE!

Pero es tan linda que no me he podido enfadar...

YO, ACURRUCÁNDOME CON DAISY
(¡E INTENTANDO QUE SE DUERMA!)

¡MADRE MÍA! ¡Creo que no he dormido NI diez minutos seguidos en TODA la noche!

Por culpa de Daisy, estoy cansada y de mal humor, y voy a ir todo el día SONÁMBULA de una clase a otra.

Tan cansada que hasta me cuesta PREOCUPARME por la Semana de Intercambio de Alumnos.

Ojalá hubiera un programa de intercambio de alumnos extranjeros de VERDAD en algún lugar lejano y mágico, como por ejemplo... ¡París!

Es que... ¡ME GUSTARÍA TANTO pasar una semana en PARÍS! ¡☺! ¡Es una ciudad TAN romántica!

Acabo de entregar un trabajo de francés sobre el museo del Louvre, donde están algunas de las obras de arte más famosas del mundo.

Espero que me pongan una calificación decente, porque ¡tardé una ETERNIDAD en redactar el texto y dibujar las ilustraciones!

15

Por cierto, ¡se me acaba de ocurrir una idea buenísima!

Como soy ayudante de biblioteca, puedo aprovechar esa EXCUSA para salir del programa de intercambio.

No tengo más que ~~pedir~~ ROGAR a la bibliotecaria de la escuela, la señora Peach, que me ~~deje rondar por~~ AYUDAR en la biblioteca durante la Semana de Intercambio.

Pronto llegará el verano y acabarán las clases y queda mucho por hacer para dejar en orden la biblioteca para el curso que viene.

Estoy bastante segura de que me dirá que sí.

¡PROBLEMA RESUELTO! ¿VERDAD? ¡¿☺?!

¡PUES NO! ¡¡☹!!

Porque el director Winston acaba de hacer un anuncio por altavoz sobre la Semana de Intercambio de Alumnos. Ha explicado que la última edición del programa se hará la semana del 12 de mayo y que los que hasta ahora no hemos participado en ninguna de las ediciones anteriores recibiremos hoy mismo una carta con detalles sobre el centro que nos correspondió.

También dijo que este año, en lugar de una calificación final en función de los trabajos de clase, recibiremos un crédito por asistir al programa de intercambio. A los alumnos que no lo hagan les faltará un crédito para acabar el curso ¡y NO podrán pasar al siguiente grado!

Por si todas esas noticias no fueran suficientemente MALAS, dijo que el crédito deberá recuperarse ¡asistiendo a las CLASES DE VERANO!

¡¡Pues va a ser que NO!! Porque, si la idea de pasar una semana con MacKenzie me ATERRA, ¡MÁS ME ATERRA pasar TODO el verano en la escuela!
¡☹!

Este programa de intercambio de alumnos se está convirtiendo cada vez más ¡en una PESADILLA!

Aunque me sentía superada, decidí enfrentarme al problema con tranquilidad y mucha madurez.

Por eso fui directamente al baño de las chicas...

¡Y solté una lloradera MONUMENTAL!

¡¡☹!!

Acabamos de recibir las cartas...

DESPACHO DEL
DIRECTOR WINSTON

PARA: Nikki Maxwell

DE: Director Winston

Asunto: SEMANA DE INTERCAMBIO DE ALUMNOS

Querida Nikki:

Cada curso, todos los alumnos de entre 14 y 15 años del WCD participan en una semana de intercambio con otros centros locales. Creemos que así se contribuye a fomentar buenas relaciones con los alumnos y profesores de los centros anfitriones. Como alumna, tu participación es OBLIGATORIA para poder pasar de curso.

La semana que viene asistirás a la ACADEMIA INTERNACIONAL NORTH HAMPTON HILLS (NHH). Será una ocasión para mostrar el mejor de los comportamientos, y seguir el ideario y las normas de la NHH. El viernes 9 de mayo tomaremos las fotos para los documentos de identidad de los alumnos.

No dudes en exponerme cualquier duda o pregunta.

Atentamente,

DIRECTOR WINSTON

Todo el mundo estaba superemocionado con su carta y comentando dónde les había tocado.

Además, el director Winston había colgado la lista definitiva en la puerta de su despacho.

Yo estaba en mi casillero, escribiendo en mi diario, cuando aparecieron corriendo Chloe y Zoey agitando sus cartas en el aire.

"¡MADRE MÍA, Nikki! ¡No lo vas a creer! ¡Nos ha tocado el MISMO sitio!", gritó Chloe histérica.

"¡NOOO! ¿QUÉ DICES?", exclamé sorprendida. "¿EN SERIO? ¡¿Estás segura?!".

Di por supuesto que Chloe y Zoey ya habían visto en la lista dónde me había tocado a mí.

"¡Sí, sí! ¡Es verdad!", dijo Zoey sonriendo. "¡NOS tocó el mismo sitio! ¡¿Lo puedes creer?!".

La noticia era tan buena que costaba creerla. Sonreí y suspiré aliviada.

¡Tanta preocupación para nada!

POR FIN empezaba a emocionarme con el programa de intercambio. ¡Hasta podría ser DIVERTIDO!

"¡Va a estar SUPER!", gritó Chloe. "¡Abrazo de grupo ahora mismo!".

Estábamos en pleno abrazo cuando, de pronto, apareció Brandon.

"A ver si lo adivino: a las tres les tocó ir a la misma escuela, ¿verdad?". Y sonrió.

"¡SÍ! ¿Y a TI cuál te tocó?", preguntó Zoey.

Cuando Brandon nos enseñó la carta, Chloe y Zoey se pusieron a gritar: "¡¡MADRE MÍA!! ¡A BRANDON LE TOCÓ EL MISMO SITIO QUE A NOSOTRAS!".

"¡Esto es muy LOKOOO!", dije entre risas. "Parece INCREÍBLE que a los CUATRO nos haya tocado...".

¡YO, SIN ENTENDER NADA DE NADA!

"¡¿QUÉ?!", dije casi sin habla. "A ver, un momento... ¿están seguros?".

Pero no parecía que Chloe, Zoey y Brandon me estuvieran oyendo. Los tres se reían y hablaban de lo GENIAL que iba a ser estar con el mejor amigo de Brandon, Max Crumbly, que va a South Ridge.

De pronto se me revolvió el estómago y empecé a notar el sabor de todo lo que había desayunado en casa. Me mordí el labio e intenté tragar saliva.

Nadie se daba cuenta de lo mal que estaba. No sé, era como si fuera invisible. ¡¿Y estos son los que se SUPONE que son mis AMIGOS?!

No me quedaba más remedio que hacerme una pregunta muy difícil...

¡¡¡¿POR QUÉ ME SENTÍA COMO UN GRAN BOTE DE...

VÓMITO?!!!...

De pronto todos se callaron y se quedaron mirándome. "Nikki, ¡¿estás bien?!".

Yo cerré los ojos y grité...

"¡¿EL COLEGIO DE MACKENZIE?!", exclamaron.

No pude aguantar más y rompí a llorar delante de mi casillero, ante la mirada impotente de mis tres amigos.

"¡Pero eso es TERRIBLE!", protestó Chloe.

"¡POBRECITA!", gimió Zoey.

"¡Qué mala pata!", murmuró Brandon.

¡MADRE MÍA!

Me sentía tan frustrada y enfadada que quería...

¡¡GRITAR!!

¡NI HABLAR! ¡No pensaba ir al mismo colegio que MacKenzie para que me humillara públicamente!

¡¡OTRA VEZ!!

Creo que esto significa que me apuntaré a las clases de verano.

¡Lo siento, director Winston!

Pero ahora que sé que ninguno de mis amigos estará en la NHH conmigo, ¡antes me saco un ojo con un palo mugriento que apuntarme a su ESTÚPIDO programa!

¡¡☹!!

LUNES, 13:45 H,
CLASE DE BIOLOGÍA

Brandon y yo somos compañeros de laboratorio en bío y nos sentamos juntos. Supongo que estaba preocupado por mí, porque no ha parado de enviarme mensajes...

BRANDON: ¿ESTÁS BIEN?

NIKKI: Sí. Un poco apachurrada por el mal rollo con NHH.

BRANDON: ¿Quieres q hable con el director para q nos intercambie?

NIKKI: ¿¿¿???

BRANDON: ¿Si tú vas al South Ridge con tus BFF y yo a Hogwarts, volverás a sonreír?

NIKKI: ¿En serio? ¿Harías eso?

BRANDON: Sí. Por una amiga.

Al leer los mensajes nos sonrojamos. Luego nos miramos y nos sonrojamos. Y así estuvimos (mirándonos y sonrojándonos) durante, no sé, ¡una ETERNIDAD!

BRANDON Y YO, ESCRIBIÉNDONOS EN BÍO.

BRANDON: Me aburro.

NIKKI: Yo igual. Se me cierran ojos.

BRANDON: Si me duermo, dame una BOFETADA.

NIKKI: OK, ¡LOL! No me hagas reír o nos castigarán por mandar mensajes en clase.

BRANDON: ¡Al menos vuelves a sonreír!

Antes de que acabara la clase de bío, Brandon había conseguido animarme. Empezaba a sentir que a lo mejor NO ERA el fin del mundo.

Ofrecerse a intercambiarse conmigo para ir a la NHH había sido un detalle muy bonito, pero a MacKenzie le GUSTA Brandon aún más que a mí. Seguro que renunciaría a su brillo de labios para el resto de su vida con tal de pasar una semana entera con él en la NHH.

¡Lo siento, chica, pero va a ser que NO!

¡¡☺!!

¡No sabes las ganas que tenía hoy de que ACABARAN las clases!

¡Se han alargado como un chicle!

Entiendo que Chloe, Zoey y Brandon estén emocionados con el programa de intercambio de alumnos.

Yo también lo estaría si me hubiera tocado ir al colegio South Ridge.

Lo último que quiero es que mis amigos ~~sepan~~ crean que estoy AUTOCOMPADECIÉNDOME tan sólo porque a mí me ha tocado ir a la Academia North Hampton Hills con MacKenzie.

Bueno, cuando por fin llegué a casa, la mimada de mi hermana Brianna estaba en la cocina haciendo un trabajo para su grupo de scouts.

Lleva intentando ganar una insignia de cocinera

desde hace, no sé, ¡una ETERNIDAD! Pero, por
desgracia, ¡todo lo que hace acaba saliendo FATAL!...

¡BRIANNA, HACIENDO UN LÍO EN LA COCINA!

Al final me dejé vencer por la curiosidad.

"¡Hola, Brianna! ¿Qué preparas?", le pregunté.

"¡POR FIN he perfeccionado mi receta de crema de chocolate!", exclamó contenta. "Ahora sólo me falta meterla una hora en el horno".

"Brianna, me parece que la crema de chocolate no se mete en el HORNO. Donde tienes que meterla una hora es en el REFRIGERADOR", le sugerí.

"¡YO soy la chef y es MI receta! ¡Si yo digo que va una hora al horno, va AL HORNO!", me dijo sacándome la lengua.

¡La hubiera matado!

Pero ¿qué se puede esperar de una mocosa aspirante a chef que cuando se queda sin cubiertas para los panquecitos les pone mocos?

Total, que unos cuarenta minutos después noté un olor muy peculiar y desagradable. Olía a basurero... ¡quemado!

Fuí corriendo a la cocina a ver qué pasaba.

"¡Nikki, mira mi obra maestra!", me dijo sonriendo mientras me tendía la bandeja...

"¡No me digas que no tiene BUENA PINTA!".

¡La "obra maestra" de Brianna parecía un charco de alquitrán al que alguien había tirado macarrones y algunos ojos sueltos!

Me dio asco. De verdad. ¡PUAJJJ! ¡¡☹!!

"Lo preparé especialmente para la reunión de scouts de hoy. Si les gusta a las chicas, ¡ganaré por fin mi insignia de cocinera!", me explicó.

"Bueno, a todo el mundo le gusta, er... la crema de chocolate QUEMADA, ¿no? ¡ÑAMI, ÑAMI!", dije. "Además huele. Mucho. ¡Suerte con la insignia!".

"¡Gracias! También le puse huevos para darle una textura crujiente", dijo. "Eso lo vi en el programa de la tele Chefs Maestros".

"¿Sabes que los huevos se tienen que ROMPER antes y que NO se echan enteros?", le dije.

"¡Pero si las cáscaras son la parte crujiente! ¿Quieres probar un poco de crema? ¡Te va a ENCANTAR!"...

¡BRIANNA, INTENTANDO METERME SU CREMA DE CHOCOLATE EN LA BOCA!

¡MADRE MÍA! ¡Volví a tener asco! ¡¡☹!!

O las habilidades culinarias de Brianna mejoran radicalmente, o me TEMO que la salud nutricional de su futura familia se verá afectada...

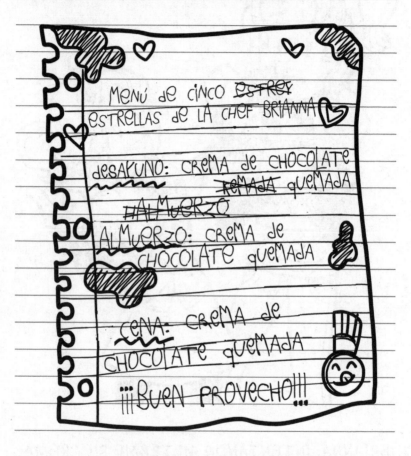

MENÚ FAMILIAR DE BRIANNA

¡¡¿Cuánto tiempo SOBREVIVIRÍAN sólo con crema de chocolate QUEMADA?!!

Luego me sentí aún PEOR por las pobres niñas que iban a comer la crema de chocolate de Brianna en la reunión de scouts.

Ya me imaginaba a los padres histéricos llevando a la carrera a sus hijas a urgencias en cuanto acabara la reunión.

¿QUE POR QUÉ?

Porque toda la tropa necesitaría un LAVADO DE ESTÓMAGO por culpa de la ASQUEROSA crema de chocolate de Brianna.

La parte buena era que a lo mejor le daban una insignia de lavado de estómago.

El caso es que cuando Brianna volvió de su reunión scout se la veía muy enfadada.

"¿Cómo te fue?", pregunté.

"¡FATAL! ¡Mi crema de chocolate no le gustó a NADIE!", refunfuñó.

"Bueno, pero traes la bandeja vacía. Se habrán quejado, ¡pero algo les habrá gustado si se lo comieron TODO!".

"¡Pues NO! La jefa de tropa llamó a los de Sanidad y nos obligaron a excavar un agujero muy profundo en el bosque y enterrar allí las sobras", se lamentó Brianna.

"¿Enterrarlo? Pero ¿por qué?", pregunté.

"Para impedir que ningún ser vivo se lo pudiera COMER accidentalmente. Al acabar nos dieron a todas la insignia de seguridad con sustancias tóxicas".

"¿Lo ves? Al menos tu tropa y tú ganaron una insignia nueva. Eso es BUENO, ¿no?".

"¡NO! ¡Me sentí muy HUMILLADA!", gimió Brianna.

No quería herir sus sentimientos, pero era verdad: su crema de chocolate era más adecuada para rellenar baches de la carretera que para el consumo humano.

"¡NUNCA conseguiré la insignia!", suspiró Brianna. "¡¡Soy la PEOR cocinera del MUNDO!!".

¡Brianna ES la peor cocinera del mundo!

Pero también es mi hermana pequeña y no quería ver roto su sueño de ganar una insignia de cocinera.

La verdad es que me dio mucha tristeza.

No hace ni cuatro días yo tenía seis años y me pasaba el día horneando y quemando panquecitos en mi propio horno de juguete, que funcionaba y todo.

Por eso decidí hablar con mis padres.

¡Pero antes abracé bien FUERTE a Brianna!

Y luego le preparé un gran bol de su postre favorito (helado con catsup y pasas) para animarla.

BRIANNA COMIENDO SU POSTRE FAVORITO
DE HELADO CON CATSUP Y PASAS.

¡Mi idea funcionó a la PERFECCIÓN! ¡¡☺!!

¡A los pocos minutos estaba sonriendo de oreja a
oreja! ¡☺!

¡Pero verla COMER esa porquería fue ASQUEROSO!
Tuve aún MÁS asco esa tarde.

¡¡PUAJJ!! ¡¡☹!!

Sigo MEGAestresada con lo de la Semana de
Intercambio de Alumnos.

Por un lado no quiero ni loca ir a North Hampton
Hills porque tendría que aguantar a MacKenzie
y sus alucinantes montajes manipuladores.

Por otro lado, si NO participo, me obligarán a
recuperar el crédito asistiendo a las clases de
verano.

¡Mi situación es DESESPERADA! ¡☹!

Menos mal que a cuarta hora tenía educación
física con Chloe y con Zoey, porque al final he
decidido contarles mi problema.

Como hoy hacía buen tiempo, salimos a hacer rutinas
en el campo de futbol. Las tres nos turnábamos para
pasar el balón entre los conos de plástico mientras
comentábamos mi última gran crisis...

MIS BFF Y YO HACIENDO RUTINAS DE FUTBOL MIENTRAS COMENTAMOS MI ÚLTIMA GRAN CRISIS.

"Mira, Nikki, si no quieres ir al colegio de MacKenzie, deberías explicarle por qué al director Winston", sugirió Zoey. "Seguro que lo entiende".

"Sí, yo también lo creo", dijo Chloe. "Si la gente supiera la mitad de las cosas HORRIBLES que ha hecho esa chica, ningún colegio la aceptaría como alumna. ¿Qué digo? ¡Hasta sus PADRES se NEGARÍAN a escolarizarla en CASA!".

"No sé, chicas", dije suspirando. "Acuérdense de que MacKenzie me robó el diario y se lo quedó doce días seguidos. Había un montón de cosas SUPERpersonales escritas en él que no quiero que NADIE sepa, y mucho menos el director Winston".

"¡Pues yo creo que ya es hora de que te defiendas, Nikki!", rebatió Chloe. "¡No puedes permitir que MacKenzie siga saliéndose con la suya!".

Tras darle vueltas y más vueltas a mi situación durante lo que me pareció una eternidad, al final tomé una decisión. Vi claramente lo que tenía que hacer...

44

"¡Gracias, chicas! ¡Son las mejores amigas del MUNDO! Sé que debo hacerlo. ¡Pero sólo pensar en enfrentarme a MacKenzie y sus montajes me da dolor de BARRIGA!", me lamenté.

"Aunque MacKenzie se enfade contigo, ¡¿qué va a hacer?! ¿CHISMORREAR sobre las cosas sin importancia que ha leído en tu diario? Lo ves, ¿cuál miedo? Lo más que te puede pasar es que te castiguen un par de días después de clase", dijo Chloe.

¡¡Un momento!! ¡¿Que me CASTIGUEN un par de días?!

"Sí, tampoco es el fin del mundo", contestó Zoey. "¡Lo superarás!".

Perdona, pero SÍ que sería el fin de ¡¡MI mundo!! ¡Sobre todo cuando mis padres me MATEN! ¡☹!

No podía creer que mis BFF fueran tan insensibles.

"A ver... ¿se dan cuenta de que no sólo escribí sobre las SALVAJADAS que hice, sino TAMBIÉN sobre las SALVAJADAS que HICIMOS?", les recordé.

45

Echando carreras en la biblioteca...

Haciendo bromas desde el teléfono de la escuela...

Colándonos en el vestidor de chicos...

Fingir que estábamos en el equipo de futbol americano...

Recorriendo los pasillos con un bote de basura por no tener un pase...

Metiendo ocho perritos en la escuela...

Y ESCONDIÉNDONOS para hablar dentro del ALMACÉN DEL CONSERJE durante, no sé, una ETERNIDAD...

"Y la lista de cosas que hemos hecho no se acaba ahí", proseguí. "Ya pueden olvidar lo del castigo después de clase, porque ¡seguro que NOS EXPULSAN una semana!".

Chloe y Zoey se quedaron mudas.

Las dos me miraban incrédulas.

"¡¿Acabas de decir 'NOS'?!", masculló por fin Zoey.

"Bueno, pensándolo bien, lo de denunciar a MacKenzie tal vez NO es la mejor forma de resolver la situación", murmuró Chloe. "¿Ya dije que soy ALÉRGICA a las expulsiones?".

Bueno, ahí yo ya empecé a hartarme un poquito.

Se supone que Chloe y Zoey son mis BFF. Pero se ve que lo de acusar a MacKenzie sólo era buena idea hasta que se dieron cuenta de que ellas también podían acabar metidas en el mismo LÍO que yo.

"O sea, ¿que AHORA lo de hablar con el director Winston ya NO les parece tan buena idea? ¿Y qué hago entonces con la Semana de Intercambio de Alumnos?".

"A ver, Nikki, siempre puedes mirarlo por el lado positivo", sugirió Zoey.

"¡No hay NINGÚN lado positivo!", protesté.

"¡Claro que sí!", dijo Zoey sonriendo. "Sabrás por fin lo que es ir a Hogwarts, ¡pero sin las clases de MAGIA!".

"¡¡Además, llevan unos uniformes elegantes, chic y LINDÍSIMOS!!", añadió Chloe entre risas.

Puse cara de paciencia. ¡¡Chloe y Zoey no me estaban ayudando en NADA!!

Con un poco de suerte, ¡a lo mejor encuentro nuevas BFF en la Academia North Hampton Hills!

¡¡☹!!

¡MADRE MÍA! ¡MADRE MÍA!

¡¡NO puedo creer lo que me acaba de pasar en clase de francés (que, por cierto, la tuvimos que hacer a última hora por culpa de las pruebas de competencia)!!

¡Estoy tan ALUCINADA ahora mismo que casi ni puedo escribir esto!

¡Se me SALE el corazón y siento la cabeza a punto de EXPLOTAR!

ESPIRA, INSPIRA... ESPIRA, INSPIRA.

Todo empezó cuando el profe de francés, Monsieur Dupont, me devolvió el trabajo sobre el Louvre, el célebre museo de arte que hay en París.

Tenía siete páginas de texto impreso y llevaba varias ilustraciones que había dibujado yo misma. Casi me DESMAYO cuando vi la nota...

52

¡YO, ALUCINANDO
AL VER UN DIEZ EN MI TRABAJO!

Normal, ¿no?

Pero cuando el profe me dijo que me quedara después de clase porque quería hablar conmigo de mi trabajo, empecé a asustarme.

¡Mira que si creía que había hecho trampa plagiándolo de algún sitio...! ¡¿☹?!

Aunque no me habría sorprendido tanto que desconfiara.

Yo NO soy ni de lejos la mejor de su clase y me cuesta bastante sacar un diez.

¡Pero con este trabajo hasta DISFRUTÉ!

¡Estaba SUPERinspirada y motivada porque el tema era el arte y a mí me ENCANTA el arte!

Total, que al acabar la clase me acerqué a hablar con mi profe.

Notaba los nervios en la barriga.

¡Tantos que esperaba no acabar VOMITANDO sobre su mesa!

i¿YO, HABLANDO CON MI PROFE
SOBRE MI TRABAJO?!

¡Menos mal que ESO no pasó!

No, me quedé quieta agarrando bien fuerte el trabajo mientras me decía lo mucho que lo había impresionado. Y ahí empezó la parte que me sorprendió.

"Nikki, serías la persona PERFECTA para un programa de excelencia en francés para este verano. Tienes mucho talento dibujando y el programa se centra en historia del arte y cultura francesa. ¿Te interesaría participar?".

"Pues... ¿es TODO el verano?", pregunté indecisa. NO quería ir a clases de verano.

"No, creo que son unos diez días en agosto. Se manda a un grupo formado por alumnos de diferentes escuelas locales a París, a visitar el Louvre y otros lugares históricos".

Casi me desmayo.

¡¡OTRA VEZ!!

"¡MADRE MÍA! ¡¿Dijo un VIAJE A PARÍS A VISITAR EL LOUVRE?!", grité histérica. "¡SÍ! ¡¡ME ENCANTARÍA IR A PARÍS!!".

"¡Genial! Sólo hay una complicación menor: el viaje con todos los gastos pagados lo patrocina el departamento de idiomas de la Academia Internacional North Hampton Hills. Tengo que ponerme en contacto con ellos para pedirles más detalles. Pero me encantaría recomendarte para el programa".

Adivina... ¡Sí, casi me desmayo por TERCERA vez cuando mencionó North Hampton Hills!

"De hecho, profesor Dupont, en principio la semana que viene asistiré a North Hampton Hills como parte de nuestra Semana de Intercambio de Alumnos".

"¡PERFECTO! Pues me pondré en contacto con su departamento de idiomas para que lo hablen todo contigo mientras estás allí. También enviaré una copia de tu trabajo y de las ilustraciones. Estoy seguro de que les causarán la misma buena impresión que a mí".

"¡Muchísimas GRACIAS por pensar en mí!", dije entusiasmada. "¡Es una oportunidad maravillosa!".

Salí despacio del aula pero, en cuanto estuve fuera me puse a bailar el baile de Snoopy directamente hasta llegar a mi casillero...

YO, BAILANDO EL BAILE DE SNOOPY.

¡¡YAJUUUUU!! ¡¡☺!!

No puedo creer que de verdad vaya a ir a

¡¡PARÍS, FRANCIA!!...

... ¡COMO ALUMNA DE INTERCAMBIO INTERNACIONAL!

Ahora tengo que causar una impresión muy buena en el departamento de idiomas de la Academia Internacional North Hampton Hills. Tienen que saber que soy una alumna inteligente, disciplinada, entregada y sobresaliente.

Bueno, está bien. ¡Puede que NO sea todo eso!

Pero SÍ que me interesa aprender más cosas sobre la historia del arte y la cultura francesa. Y soy amable, simpática y caigo bien a TODO EL MUNDO.

Bueno, está bien. Puede que no a TODO EL MUNDO. Hay excepciones como...

¡MACKENZIE HOLLISTER! ¡¡☹!!

Total, que ¡me muero de ganas de dar las maravillosas noticias a Chloe y a Zoey! ¡¡Van a ALUCINAR!!

Creía que mi semana en la Academia North Hampton Hills iba a ser TRISTE, MELANCÓLICA y TEMIBLE. ¡Pero estaba muy equivocada!

¡Va a ser FANTÁSTICA!

¡¡☺!!

Ayer Chloe y Zoey se pusieron SUPERcontentas por mí cuando les conté la increíble noticia del profesor Dupont y el posible viaje a París. Primero hablamos por teléfono y luego estuvimos enviándonos mensajes hasta casi medianoche.

¡Y hoy a la hora del almuerzo recibí noticias aún MÁS emocionantes!

Era un mail de confirmación de que mi UNIFORME ESCOLAR de North Hampton Hills había sido entregado en mi domicilio.

¡¡YAJUUUUU!! ¡¡☺!!

Me lo prestan durante una semana y después se lo devolveré al colegio. Pero ¡ES IGUAL! ¡☺! Chloe, Zoey y yo estábamos superemocionadas.

"Les mandaré fotos en cuanto me lo pruebe", les dije durante el almuerzo.

Pero ellas insistieron en venir un rato a casa después de clase y yo cedí.

En cuanto Chloe y Zoey vieron la caja, empezaron a ALUCINAR A TODO COLOR...

¡Cualquiera diría que estaba abriendo un regalo de cumpleaños!

"Vamos, chicas", me reí. "¡RELÁJENSE! Sólo es un uniforme".

Pero, ¡MADRE MÍA!, mi uniforme era...

¡ALUCINANTE!

Debo confesar que la primera vez que vi a MacKenzie con su uniforme, me ENCANTÓ.

¡Se veía TAN lista y tan madura!

No se parecía en nada a la REINA DEL MELODRAMA superficial y adicta al brillo de labios que en realidad es.

MacKenzie se va a quedar muy pasmada y sorprendida el lunes cuando me vea a MÍ en SU colegio.

Pero yo pienso ignorarla y no desconcentrarme.

¡Mi objetivo principal es asegurarme ese viaje a París!

¡Y no voy a dejar que absolutamente NADA —ni siquiera MacKenzie Hollister— se ponga en mi camino!

Me puse MI uniforme y me planté delante del espejo con una gran sonrisa estampada en la cara.

Me pareció que me quedaba realmente bien.

¡Y mis BFF también lo pensaban!...

CHLOE Y ZOEY, ADMIRANDO
MI ELEGANTE UNIFORME DE LA NHH.

¡Además recibí una SORPRESA!

Mis BFF me dieron una bolsa de regalo rosa brillante que tiene un dibujo de la torre Eiffel y me dijeron que están muy orgullosas de mí.

Dentro había una caja de chocolates Godiva, un libro de frases comunes traducidas del español al francés (como "¿Dónde está el baño, por favor?") y el número más reciente de la revista *¡Moda para ti!*

"¡Nikki, en esta revista dan consejos muy buenos para los alumnos de intercambio internacional! ¡Te servirá para preparar el viaje!", explicó Chloe.

Les di las gracias a mis BFF por todos los regalos y por apoyarme siempre. Y luego las abracé muy, pero muy fuerte.

Aún no me he ido a North Hampton Hills y ya empecé a echarlas de menos.

¡¡Chloe y Zoey son las *MEJORES AMIGAS DEL MUNDO*!! ¡☺!

¡ODIO cuando nos toman fotos en la escuela! Pero mañana nos tomarán una a todos los que participamos en la Semana de Intercambio de Alumnos.

Nos convocaron en la biblioteca a primera hora para tomarnos las fotos para las credenciales de estudiante, necesario para poder participar en el programa.

En clase de geometría el profe se puso a resolver un problema en el pizarrón utilizando el teorema de Pitágoras.

Mientras tanto, yo me puse en mi mesa a resolver un problema mucho más complejo. ¿QUÉ me iba a poner para la foto?

Saqué la revista *¡Moda para ti!* que me regalaron y la coloqué encima del libro de mate. Estaba hojeando la sección de moda para buscar ideas cuando vi un anuncio...

Pues, oye, ¡no era tan MALA IDEA!

Todo el mundo sabe que las fotos de "antes" y "después" en este tipo de anuncios son un FRAUDE.

Lo cual significa que probablemente la crema facial ¡Ponte un 10! también es un FRAUDE.

Pero el anuncio también decía "¡Utilizada por las *celebrities* adolescentes para una piel BELLA y radiante!".

Y, mira, si es buena para ELLAS, ¡también será buena para MÍ!

Me sorprendió un montón descubrir que ¡Ponte un 10!, además de ser una crema pura y orgánica, está hecha con ingredientes súper, como miel, yogur griego (natural), extracto de arándanos, aceite de pepitas de uva, higos, algas, polvo de luna y agua mineral.

¡MADRE MÍA! ¡Me MUERO de ganas de probarlo!

No es que no esté contenta con mi bonita cara de boba, pero preferiría que los de North Hampton Hills me confundieran con una *celebrity* adolescente. ☺

El problema es que ¡Ponte un 10! vale ¡79 dólares!

¡AY, MADRE! ¡¡☹!!

¡Pero NO iba a dejar que un detalle como el dinero se interpusiera entre mi sueño y yo!

Así que decidí crear mi PROPIA crema ¡Ponte un 10! Los ingredientes de mi imitación barata los sacaré de la cocina de mi madre y así, en lugar de pagar 79 dólares, me saldrá básicamente ¡GRATIS! ¡☺!

¿Quién sabe? ¡A lo mejor mi idea supercreativa e ingeniosa me hace algún día MULTIMILLONARIA!...

CREMA FACIAL CASERA

PARA CHICAS BOBAS

PARA UNA PIEL

RADIANTE Y PERFECTA

LO QUE NO NECESITAS:

¿Estás básicamente SIN un centavo y todos tus ahorros se reducen a un par de monedas escondidas en el cajón de los calcetines?

¿Se NIEGA tu madre persistentemente a darte 79 dólares para una ¡Ponte un 10! porque dice que prefiere gastar el dinero en comprar VERDURAS, ya que no puede darles crema facial para CENAR?

Si contestaste que SÍ a alguna de las preguntas anteriores, aquí tienes una lista de todas las cosas que NO necesitas.

¡No te preocupes, que yo ya TE taché TODO lo que había en la lista!

¡¡De NADA!! ¡¡☺!!

~~Miel, yogur griego (natural), extracto de arándanos, aceite de pepitas de uva, higos, algas, polvo de luna y agua mineral.~~

LO QUE NECESITAS:

Para facilitarte las cosas y ahorrar dinero, utilizarás los ingredientes que YA tengas en la cocina.

INGREDIENTES NECESARIOS PARA LA CREMA FACIAL CASERA PARA CHICAS BOBAS.

En lugar de miel, pon un jarabe cualquiera.

En lugar de yogur griego natural y extracto de arándanos, pon yogur de arándano intenso Princesa Hada de Azúcar.

En lugar de aceite de pepita de uva, pon jugo de uva.

En lugar de higos, pon galletas de higo.

En lugar de algas, pon espinacas de lata.

En lugar de polvo de luna, pon chocolate en polvo Missy's.

En lugar de agua mineral, pon agua del grifo y seis cubitos de hielo.

A LA BELLEZA BOBA EN 10 PASOS

PASO 1: Cuélate en la cocina cuando tus papás ya se hayan acostado. Así no te atosigarán con preguntas TONTAS, como "¿Piensas PAGAR toda la comida que estás desperdiciando?".

<u>PASO 2</u>: Vacía tres yogures de arándano intenso en un tazón grande de cocina y devuelve los envases vacíos al refrigerador para que nadie sospeche que TÚ los usaste <sonrisa malévola>.

<u>PASO 3</u>: Sin dejar de remover, añade una taza de jugo de uva y media taza de jarabe.

<u>PASO 4</u>: Cómete la parte de fuera de seis galletas de higo e incorpora el relleno de higo a la mezcla.

<u>PASO 5</u>: Añade una cucharadita de chocolate en polvo y una cucharada de espinacas de lata.

<u>PASO 6</u>: Remueve la mezcla durante tres minutos y déjala reposar diez minutos más. Puede que tengas que ahuyentar alguna mosca.

<u>PASO 7</u>: Relájate y disfruta de un refrescante vaso de agua fría, porque ¡seguro que acabaste sudando y a estas alturas tienes sed!

<u>PASO 8</u>: Ponte la crema facial casera por toda la

cara y deja que se seque. Si se te queda alguna mosca muerta pegada en la cara, retírala inmediatamente por razones sanitarias.

PASO 9: Guarda lo que sobre en el refrigerador, dentro de un recipiente cerrado, para ponerte crema otras seis veces. O ponlo en la licuadora y bátelo a máxima velocidad durante sesenta segundos para obtener un delicioso licuado Azul Arándano.

PASO 10: Acuéstate y concédete un largo sueño reparador. Cuando te levantes por la mañana, retira la crema facial con un poco de agua tibia y una toalla suave.

¡Te quedarás DE PIEDRA cuando veas tu BELLO y RADIANTE reflejo en el espejo!

Mi milagrosa crema facial parece funcionar, porque noto un cosquilleo en la piel.

¡YA me veo y me siento más guapa! ¡¡☺!!

¡MI CREMA FACIAL CASERA!

¡Estoy impaciente por ver el resultado final!

¡¡YAJUUUUU!! ¡¡☺!!

Pero ahora mejor me acuesto para MI sueño reparador.

Cuando Brandon me vea mañana, espero que se sienta tan cautivado por mi BELLEZA mágica, mística y milagrosa que acabe declarándome su AMOR incondicional.

O, como mínimo, ¡que se dé cuenta de que ya no tengo granos!

¡¡☺!!

Esta mañana, en cuanto sonó el despertador, salté de la cama megaemocionada. Me moría de ganas de verme la piel bella y radiante.

Ya me imaginaba que mi cara estaría como para salir en la portada del *Teen Vogue*.

Fui corriendo al baño, me lavé la cara con agua tibia y me miré en el espejo.

¡Y entonces escuché una voz muy familiar lanzando un grito de horror!

Por desgracia, esa voz era la MÍA.

Estaba gritando porque tenía la cara de color...

¡¡AZUL NEÓN!!

¡MADRE MÍA! ¡Parecía la HIJA perdida, medio humana y nada agraciada de PAPÁ PITUFO!

¡¡YO, GRITANDO DELANTE DEL ESPEJO!!

¡Yo quería una piel RADIANTE!

¡Pero no que IRRADIARA luz en la OSCURIDAD!

Estaba en estado de shock y no paraba de gritar:

"¡MADRE MÍA! ¡MADRE MÍA! ¡ESTOY AZUL! ¡ESTOY AZUL!".

Supongo que era por todos esos colorantes artificiales que llevan los yogures de arándano intenso de Brianna y el jugo de uva.

¡Me lavé la cara con jabón, pero el color azul brillante NO se quitó!

Al principio quería rendirme y quedarme en casa.

¡Podría pasar un día entero sentada en mi cama, mirando la pared y COMPADECIÉNDOME! ¡☹!

No sé por qué, pero eso siempre me hace sentir mucho mejor. ¡☺!

Pero hoy eso no era una opción. Si no me tomaba la foto para la credencial de estudiante, no me dejarían ir a la Academia Internacional North Hampton Hills.

¡Y no tendría NINGUNA posibilidad de ir a París! ¡¡☹!!

Busqué en el armario de la entrada hasta que encontré el PASAMONTAÑAS que lleva mi padre cuando tiene que utilizar la quitanieves manual.

¡La única solución era ir a la escuela con aquello puesto para esconder mi cara azul! ¡☹!

Me vestí muy deprisa y me colé en la cocina sin que me viera el resto de la familia para tomar una barrita de cereales.

¡MADRE MÍA! Si Brianna me viera con ese pasamontañas, ¡mi vida estaría en PELIGRO inminente!

Porque se quedaría mirándome y luego gritaría:

"¡UN LADRÓN!"

y me atacaría violentamente con un sartén.

Y por los golpes acabaría completamente amoratada.

O sea, de color morado y... ¿AZUL?

¡Qué combinación!

En fin, cuando llegué a la escuela, no hubo ni un solo alumno que no se haya parado a mirarme.

Entre mi conjunto chic y el pasamontañas de mi padre parecía una ladrona aficionada con un peculiar sentido de la moda. Cuando superé el pasillo de mirones y llegué al almacén del conserje, les mandé un mensaje a Chloe y a Zoey...

NIKKI: ¡¡SOCORRO!! ¡¡URGENTE!!
¡¡ESTOY EN ALMACÉN DEL CONSERJE!!

Chloe y Zoey no tardaron en llegar corriendo. Al verme se quedaron boquiabiertas y PARALIZADAS.

Chloe agarró un trapeador mohoso y lo empuñó amenazante hacia mí: "¿QUIÉN ES USTED?

¿Y QUÉ LE HIZO A NUESTRA AMIGA NIKKI?", gritó.

"¡Mire, quien quiera que sea! ¡Llevo un arma peligrosa y estoy dispuesta a utilizarla!", dijo Zoey mientras buscaba en su bolsa. "¡Espere! La tengo por aquí...".

Al final sacó el celular y lo apuntó hacia mí como si estuviera cargado y todo.

"¡¡NO SE MUEVA o, er... DISPARO!!", gritó.

¡¡La paciencia que hay que tener!!

O sea que Chloe me iba a matar TRAPEÁNDOME mientras Zoey lo grababa con el celular.

¡¿Y luego QUÉ?!

¡¿Lo subirían en YouTube?!

"¿Pueden PARAR de una vez?", dije. "Soy YO... ¡Anda!".

"¡No conocemos a ninguna Yolanda!", dijo Chloe, mirándome con los ojos entornados. "¡Ya está bien! ¿DÓNDE está Nikki?".

Uf, ya no podía más. Le arranqué el trapeador a Chloe y me aguanté las ganas de pegarle con él.

"¡SOY YO, NIKKI MAXWELL!",
grité.

Las dos suspiraron aliviadas. "¡NIKKI!".

Entonces Zoey me dijo frunciendo el ceño: "Una cosita, ¿puedo preguntar POR QUÉ llevas ese pasamontañas?".

Tardé en responder porque buscaba alguna explicación que sonara lógica.

Pero no había ninguna forma inteligente de decir: "Me convertí yo solita en un arándano mutante porque quería verme GUAPA".

"¡¡¿QUÉE?!!", exclamaron Chloe y Zoey. Y yo ya no pude contenerme.

Me puse a gemir. "¡Tienen que ayudarme! ¡¡Por favor!!".

Pero mis BFF se deben de haber creído que las había invitado a acompañarme en mi LLORADERA en el almacén del conserje porque estaba depre o algo.

"¡Pobrecita!", dijo Chloe como si le hablara a un bebé. "Ven con tus mamis y ya verás como se te pasa".

"¿No quieres dar la CARA por algo? Tranquila, no contestes", dijo Zoey. "Te vamos a mimar".

Las dos se me acercaron y me dieron un enorme abrazo de oso.

"¡A la chiquitina le duele algo!", dijo Zoey. "Sana, sana, colita de ra...".

"¡NO entienden nada!", las interrumpí, quitándome el pasamontañas. "¡MIREN!".

Se quedaron mirándome pasmadas una eternidad. Y de repente gritaron las dos a la vez:

"¡Tu CARA!", exclamó Zoey. "Está... ¡azul cobalto!
¿O turquesa...?".

"¡Qué va, es MUCHO peor!", dijo Chloe con una mueca. "Yo diría que es, er... ¡azul limpiaescusado! O...".

"¡¡AZUL PITUFO!!", gritaron las dos muy emocionadas.

"¿Y a quién le IMPORTA qué tono de azul es? ¡Así no me puedo tomar la foto para la credencial!", murmuré notando cómo me ponía roja.

Es decir, que mi cara en esos momentos debía de tener un precioso color morado.

Es decir, ¡como un helado de moras!

Seguí hablando: "¡No hay forma de quitar el color! ¡Ahora tendré que llevar pasamontañas el resto de mi vida! ¿Saben lo HUMILLANTE que será llevar pasamontañas el día de mi BODA, eh? ¿LO SABEN?".

"¡Nikki, cálmate!", me dijo Chloe.

"¡AHORA MISMO tendría que estar tomándome la foto de la credencial para ir a North Hampton Hills!

¡Pero resulta que soy de color azul limpiaescusado y parezco una EXTRATERRESTRE! ¡O también puedo llevar este estúpido pasamontañas y parecer una LADRONA! ¿Cómo voy a ir a París con esta PINTA? ¡DÍGANME! ¡¿CÓMO?!", grité.

"¡Que te calmes ya!", dijo Zoey agarrándome por los hombros. "Y ahora explícanos cómo pasó esto".

"Yogur", dije entre dientes, conteniendo las lágrimas.

"Perdona, ¿dijiste 'YOGUR'?!", preguntó Chloe.

"¡Sí!", contesté sorbiéndome los mocos. "Quise prepararme yo misma una crema facial de yogur con los yogures de arándanos de la Princesa Hada de Azúcar y otras cosas. Sólo quería tener una piel bella y radiante. Pero ahora soy un monstruo... ¡AZUL!".

"¡Azul limpiaescusado!", matizó Zoey. "Pero no pasa nada porque son colorantes para alimentos, como los que ponen en muchos maquillajes. Y da la casualidad de que llevo encima un paquetito de toallitas

89

desmaquilladoras. De manera que siéntate aquí y déjame actuar a mí. ¡Verás qué magia! ¡Chloe, serás mi ayudante!".

¡¡CHLOE Y ZOEY LIMPIÁNDOME LA CARA!!

Diez minutos después mi cara volvía a ser la de siempre.
¡Bueno, no! Porque, gracias a mi crema facial casera,
tenía la piel limpia y suave como la seda. ¡Y radiante!

Chloe y Zoey alucinaron TANTO que me dijeron que
ellas también querían probar mi crema facial.

Luego bajamos corriendo a la biblioteca y llegamos
justo a tiempo para tomarnos las fotos de la
credencial. ¡Creo que mi foto salió SUPERbien!...

ACADEMIA INTERNACIONAL
NORTH HAMPTON HILLS

NIKKI MAXWELL
Semana de Intercambio de Alumnos

Quién sabe si, después de todo, mi crema facial
casera me hará MULTIMILLONARIA.

¡¡☺!!

¡Chloe y Zoey son las mejores amigas del MUNDO!

Gracias a ellas, no sólo parecía una modelo de portada de revista, sino que a la hora del almuerzo me ha felicitado una docena de personas por mi brillo de labios, mi sombra de ojos y mi rubor.

¡Y no llevaba ninguna de las tres cosas!

Ver a mis amigas hundiendo la cucharilla en la montaña enorme de crema de chocolate que había de postre me trajo un recuerdo dolorosamente nauseabundo.

"¡PUAJ! ¡¡No pienso volver a comer eso NUNCA JAMÁS!!", dije con angustia.

"¿De verdad, Nikki? Y ¿te puedo hacer una pregunta?", dijo Chloe.

"Quieres saber POR QUÉ de pronto me REPUGNA la crema de chocolate, ¿verdad?", le dije. "Bueno, es una historia muy larga. Resulta que Brianna lleva tiempo intentando ganar una insignia de cocinera. Y a principios de esta semana hizo un montón de crema de chocolate HORRIBLE que parecía barro y...".

En ese momento Chloe me interrumpió. "Perdona, Nikki, pero lo que te quería preguntar era si me puedo COMER tu crema de chocolate", dijo mientras metía la cuchara en mi crema y se la llevaba a la boca antes de darme tiempo a contestar.

"¡BURRRP! ¡Huy, perdón!", dijo riendo Chloe.

¿Mencioné alguna vez que Chloe tiene en la mesa la misma educación que un animal de corral?

Zoey se cruzó de brazos y dijo: "Anda, me quedé MUY intrigada. Lo dejaste a medias y me MUERO por oír el resto".

"Bueno, si insistes", dijo Chloe sonriendo mientras tomaba aire...

"¡TÚ no, Chloe!", dijo Zoey poniendo los ojos en blanco. "Quiero oír el resto de lo que le pasó a Brianna con la insignia de cocinera. ¿La consiguió?".

"¡Qué va! ¡Su crema de chocolate quemada fue un DESASTRE! Y lo peor es que quiere volver a cocinar OTRA cosa nauseabunda para la PRÓXIMA reunión de scouts".

Al oír eso, Chloe y Zoey se ofrecieron encantadas voluntarias para ir mañana a mi casa a enseñarle a Brianna a hacer su especialidad...

¡PIZZA DE SALAMI LANZADA AL AIRE!

¡¡Y las pizzas de Chloe y Zoey son DELICIOSAS!!

Pero, aunque lo sentía por Brianna, ¡me preocupaba aún más presenciar un SEGUNDO desastre culinario!

"Chicas, de verdad que aprecio su gesto de querer ayudar a mi hermana, pero piensen que apenas sabe preparar un tazón de cereales. ¡Una pizza va a ser DEMASIADO difícil para ella!", contesté.

"Tranquila, Nikki", dijo Zoey. "¡Básicamente, Chloe y yo le HAREMOS la pizza!".

"Sí, sí", dijo Chloe. "Las tres estaremos ahí supervisándola. ¿Qué puede salir mal?".

¡¡TODO!!

¡¡☹!!

Pese a lo que decían mis BFF, yo seguía teniendo un mal presentimiento sobre Brianna, la chef de las pizzas.

Chloe y Zoey vinieron esta tarde con todos los ingredientes para hacer tres pizzas de salami. Una era para la familia de Chloe, otra para la familia de Zoey y otra para Brianna.

Zoey se encargaba de hacer la masa, yo de repartir la salsa de tomate por las pizzas, Chloe de colocar el salami y Brianna de esparcir la mozzarella rallada por encima. Todo iba bien hasta que Brianna decidió que quería hacer la parte de Zoey.

"¡Eh! ¡Yo también quiero echar la masa de pizza al aire como hace Zoey!", gritó Brianna.

"¡No, Brianna!", dije mirándola mal.

Pero ella saltó y cogió la masa. "¡Miren! ¡La voy a lanzar muy alto!"...

¡¡BRIANNA LANZA LA MASA DE PIZZA AL AIRE!!

"¡Brianna!", le grité. "¿QUÉ haces? Devuelve ahora mismo esa pizza a Zoey, antes de que, sin querer...".

¡BRIANNA NO ACIERTA A ATRAPAR LA MASA!

¡GRRR! ¡¡Me ENOJÉ un montón!!

A Brianna sólo le faltaban los ojos y la boca para parecer la hermana del hombre de mazapán.

¡Nuestro intento de ayudarla a hacer una pizza había acabado siendo una CATÁSTROFE!

"¡¿Quién apagó la LUZ?!", preguntó riendo.

Luego se puso a deambular por la cocina como un fantasma pastelero, gritando "¡UUUU! ¡UUUUU!", como si fuera Halloween.

Chloe y Zoey se morían de risa con las tonterías de la mimada de mi hermana.

¡Pero yo NO estaba para bromas!

¡Brianna había echado totalmente a PERDER lo que tenía que llevar a su reunión de scouts!

¡¡OTRA VEZ!!

Chloe y Zoey le ofrecieron a Brianna sus pizzas, pero yo no estaba de acuerdo.

Se suponía que esas pizzas eran la cena de SUS familias.

"Pero, si no llevo NINGUNA pizza, ¿CÓMO me voy a ganar la insignia de cocinera?", protestó Brianna.

"Pues no podrá ser, Brianna", contesté muy seria. "Porque el problema es precisamente que, por hacer TONTERÍAS, ¡la pizza la LLEVAS ahora puesta! ¡Todo es culpa TUYA!".

Total que, por desgracia, Brianna no pudo conseguir la insignia de cocinera con la pizza.

Aunque podría haber conseguido una por...

¡¡☹!!

Anoche casi no dormí. ¡Y me levanté FATAL! Parecía un manojo de 48 kg de nervios embutidos en un uniforme chic de North Hampton Hills.

Me planté ante el espejo, me estampé una sonrisa falsa en la cara y empecé a ensayar cómo me iba a presentar a los alumnos de la NHH.

"¡Hola, me llamo Nikki Maxwell y soy del instituto Westchester Country Day!".

"¡Hola, me llamo Nikki Maxwell y me hace mucha ilusión pasar una semana en North Hampton Hills!".

"¡Hola, me llamo Nikki Maxwell y ahora mismo tengo tantos nervios en la panza que estoy buscando el baño más cercano para VOMITAR! Enseguida vuelvo".

Pero, en cuanto entré en el recinto, olvidé los nervios. ¡Porque me quedé boquiabierta con lo increíble que es North Hampton Hills!...

¡MADRE MÍA! ¡Es la escuela más FABULOSA que he visto en toda mi VIDA!

Todo ese césped tan cuidado y todos esos árboles le dan un aire de parque y de remanso de paz.

Pero cuando entras es más impresionante aún. Tienen una fuente enorme, MÁS GRANDE incluso que la del centro comercial. ¡Y columnas muy altas, pasillos con techo abovedado, suelos de mármol brillante, candiles muy elegantes y hasta un patio con un estanque de peces y una rosaleda!

Me siento un poco traidora por lo que voy a decir, pero ¡North Hampton Hills hace que el Westchester Country Day parezca una guardería con servicios mínimos!

Cuando llegué a la secretaría (que parecía la recepción de un hotel de lujo), llené una hoja de inscripción para alumnos de intercambio y presenté mi credencial de la Academia NHH a la secretaria.

"¡Bienvenida a la Academia North Hampton Hills!", me dijo sonriendo. "Nikki Maxwell, ¿eh? No sé si sabes que tenemos una alumna transferida desde tu colegio. ¿Conoces a MacKenzie Hollister?".

"Er..., la verdad es que sí", contesté. "Tenía su casillero junto al mío".

Miró a un lado y a otro para cerciorarse de que nadie la escuchaba, se inclinó hacia mí y me dijo susurrando: "La mayoría de los alumnos de este colegio son fantásticos, pero hay algunos que es mejor evitar. Pueden ser un poco... pretenciosos".

"¡Gracias, pero no se preocupe!", le contesté. "Hace mucho que conozco a MacKenzie y ya estoy acostumbrada a sus melodramas. Ya me las arreglaré".

La secretaria se quedó sorprendida. "Bueno, NO me refería a MacKenzie. ¡Pero si es una chica muy linda y muy dulce! ¡Y muy amable!", exclamó. Y volvió a su computadora.

Me le quedé mirando y pensé que estaba loca, porque OBVIAMENTE no estábamos hablando de la MISMA persona. ¿Quién utilizaría las palabras "LINDA",

"DULCE" y "AMABLE" para describir a MacKenzie Hollister, la SERPIENTE más egoísta y manipuladora del mundo?!

Era evidente que la pobre secretaria era otra de las muchas víctimas de MacKenzie, que se había colado SERPENTEANDO en su despacho y le había hecho un LAVADO DE CEREBRO.

"Toma asiento, guapa", dijo. "Enseguida vendrá a buscarte una alumna embajadora para enseñarte el colegio. ¡Espero que pases una semana muy divertida!".

"Gracias", dije alejándome despacio del mostrador y dejándome caer en un sillón grande y lujoso.

Los nervios de la barriga empezaron otra vez a hacer ruidos de camión de basura. Me estaba invadiendo el desánimo y me sentía realmente mareada.

Quizá lo de venir a la Academia Internacional North Hampton Hills NO era tan buena idea.

¡¡☹!!

Seguía esperando en la secretaría cuando ví acercarse a una chica espectacular de pelo cobrizo, bolsa roja de marca y zapatos de tacón que hacían juego.

Hubiera podido pasar por la hermana gemela de MacKenzie pero con cabello más oscuro.

Como llevaba un cartel que decía "BIENVENIDA, NIKKI", supuse que era la embajadora que me acompañaría durante la semana.

Agarré mi bolsa, le di las gracias a la secretaria y me encaminé hacia el pasillo para saludarla.

Tenía el corazón a cien, pero tomé aire y me presenté tal y como había ensayado ante el espejo.

¡Sí, lo sé!

A mí TAMBIÉN me cuesta creer que al final haya dicho TODO lo que dije...

BIENVENIDA,
NIKKI

← YO

"¡Hola, me llamo Nikki Maxwell y soy del instituto Westchester Country Day! Me hace mucha ilusión pasar una semana en North Hampton Hills. Pero ahora mismo tengo tantos NERVIOS en la panza que estoy buscando el baño más...".

¡No me dio tiempo de decirle que iba a VOMITAR, porque soltó el cartel de bienvenida y prácticamente se me ECHÓ encima!

¡OH, CIELOS! ¡QUÉ CONTENTA ESTOY DE CONOCERTE POR FIN, NIKKI! ¡ME HAN HABLADO TANTO DE TI!

"¡Me llamo Tiffany Blaine Davenport y voy a ser tu guía mientras estés con nosotros!", gritó emocionada. "¡Tengo el presentimiento de que vamos a ser ÍNTIMAS!".

"Er... encantada, Tiffany", dije preguntándome QUÉ le habrían contado exactamente de mí.

"Ahora que ya nos conocemos, ¿qué te parece si celebramos nuestra nueva amistad?", dijo entre risas mientras sacaba el celular. "¡MOMENTO SELFIE!".

"¡Ah, bueno!", dije yo poniéndome a su lado y sonriendo para la foto.

Tiffany bajó el celular y me miró como si fuera un grano gigante que le hubiera salido en la mitad de su PERFECTA cara.

"¡Huy, PERDONA, pero las verdaderas selfies son individuales!", me dijo. "¡Soy tan 'TAAN' que me tengo que tomar las fotos SOLA! ¡Necesito espacio para que la lente capte MI belleza exquisita en su TOTALIDAD! Ahora pórtate como una buena BFF y

¡quítate, POR FAVOR! Por cierto, ¡me encantan tus zapatos!".

Y entonces, con toda la "amabilidad" del mundo, va y me aparta de un empujón.

¡¿Cómo se ATREVE esa chica a faltarme al respeto de esa forma?! ¡Y más teniendo en cuenta que no hacía ni TRES minutos que nos conocíamos!

Al menos ha sido lo bastante "amable" como para dejarme participar en su sesión de selfies supermodelo.

Tenía que abanicarla enérgicamente con el cartel de bienvenida para crear el efecto de la melena al viento. Sin salir en la foto, claro.

Pues si ésa era su idea de diversión...

No pude evitar poner cara de paciencia.

Mientras seguía abanicando a Tiffany durante lo que me pareció una eternidad, tuve un MAL presentimiento (además de calambres en los brazos).

¡Me pareció que nuestra supuesta amistad iba a ser un poquito especial!

¡Tiffany quería ser MI BFF! ¡☺! ¡Pero más bien parecía preferir que YO fuera SU esclava zombi! ¡☹!

Total, que cuando por fin acabó aquella extraña sesión de fotos tan peculiar y espontánea, Tiffany me ayudó a buscar mi casillero.

También me presentó a sus BFF, Hayley y Ava, que se pusieron a presumir sin parar de cómo las tres eran las GPS (Guapas, Populares y Simpáticas) más fashion y mejor vestidas de toda la NHH, con fama de dar las fiestas más salvajes.

No pude evitar poner OTRA VEZ cara de paciencia. Puede que ellas alucinaran MUCHO consigo mismas, pero yo desde luego no.

Tiffany me llevó a hacer una visita de noventa minutos por este colegio tan INMENSO. ¡MADRE MÍA! El lugar es tan grande que podría perderme durante días.

En cuanto acabamos la visita, fuimos a la secretaría para recoger mi horario de clases...

NORTH HAMPTON HILLS
Horario de Clases

NIKKI MAXWELL

Asignatura	Hora	Profesor
Historia	8:00 h - 8:50 h	Prof. Schmidt
Geometría	9:00 h - 9:50 h	Profa. Grier
Biología	10:00 h - 10:50 h	Prof. Winter
Francés	11:00 h - 11:50 h	Profa. Danielle
Almuerzo	12:00 h - 12:50 h	N/A
Educación física	13:00 h - 13:50 h	Profa. Chandran
Hora de estudio	14:00 h - 14:50 h	Prof. Park

MI HORARIO DE CLASES.

Tiffany quería darme algunos "valiosos consejos y los últimos chismes" sobre las asignaturas y los profesores y me pareció bien. HASTA que los escuché (¡y en boca de una alumna embajadora!)...

LOS CONSEJOS DE TIFFANY SOBRE MIS ASIGNATURAS EN NORTH HAMPTON HILLS.

HISTORIA: "El profesor Schmidt es un anciano senil que se pasa el día contando el rollo de que fue alumno de la NHH en la Edad de Piedra. Además es ciego como un topo y no se enterará si te pones en la última fila a mandar mensajes, limarte las uñas o echarte un sueño reparador de belleza, de esos que yo no necesito para nada, pero que a TI te irían muy bien. ¡Sin acritud!".

GEOMETRÍA: "La maestra Grier nos pone un examen sorpresa cada semana. Pero hay que ser muy tonta para dedicar el fin de semana a prepararlo en lugar de salir por ahí e ir de fiesta. Yo se lo copio todo a Hannah Stewart, porque la tengo delante y saca sólo dieces. Pero procura no copiar también su NOMBRE en tu examen. A mí me pasó una vez ¡y la maestra Grier se puso como una FURIA y me suspendió! ¡¡Esa mujer está LOCA!!".

BIOLOGÍA: "¡La asignatura del profesor Winter es pan comido! Cuando pierde el cuaderno de clases —y le pasa mucho—, en lugar de darnos clase nos pone una peli, siempre la misma, *Parque Jurásico*, que dice que es 'una crítica mordaz del impacto negativo de la clonación descontrolada de la civilización moderna'. Ya la hemos visto once veces... ¡sólo este MES! ¿Que por qué pierde tanto el cuaderno? Quizá tiene algo que ver con una persona SUPERinteligente (y SUPERestilizada) que se lo roba justo antes de entrar. ¡De nada!".

EDUCACIÓN FÍSICA: "Esta semana toca senderismo a caballo. Mejor llega pronto a los establos para elegir montura. Coco y Star son los más amables y los que se portan mejor. ¡CUIDADO con el poni Compi! ¡Evítalo! Pese a lo pequeño que es y a ese nombre tan bonito, ¡NO es tu compi! ¡Es una BESTIA salvaje! Estaremos allí diez minutos antes de clase".

FRANCÉS: "Madame Danielle es la profesora más cursi y arpía de todo el colegio. Pero ahora mismo también es la más POPULAR porque este verano se llevará a un grupo de alumnos a París con todos los gastos pagados. Aquí prácticamente se han organizado unos juegos del hambre, con peleas a muerte entre los alumnos para conseguir una plaza en ese viaje. Pero lo que más te interesa saber de ella es que tiene una obsesión secreta por todo lo dulce. Si quieres caerle bien, sobórnala con una caja de trufas de chocolate. ¡Es la ÚNICA razón por la que no repruebo su asignatura!".

Gracias a Tiffany me enteré de que la profesora Danielle es la jefa del departamento de idiomas y la responsable del viaje a París.

Le expliqué emocionada a Tiffany que mi profe de francés del WCD me había recomendado para el programa y que ¡me MORÍA de ganas de ir a París!

Y me fui corriendo a la secretaría para pedir una cita con la profesora Danielle.

Me dieron cita para reunirme con ella el viernes. ¡¡YAJUUUUU!! ¡¡☺!!

Pero la verdad es que parece un poco mala. ¿Y si le caigo FATAL? En serio, ya me da MIEDO y ni siquiera la he conocido.

Solo REZO para que ME elija para el viaje a París.

¡Será lo MEJOR que me habrá pasado en TODA mi vida!...

A la hora del almuerzo Tiffany me invitó a sentarme a su mesa con siete de sus amigos más cercanos.

La cafetería de la NHH está dispuesta como el área de restaurantes del centro comercial, sólo que es más grande y tiene una oferta gastronómica mucho mejor.

Aunque hacía todo lo posible por ser amable, había empezado a perder la PACIENCIA con Tiffany.
Esa chica es tan SUPERFICIAL que se tomaba una selfie... cada diez minutos.

Me pidió que, ya que iba a buscar MI almuerzo, le trajera a ella el SUYO. Y después que, ya que iba a vaciar MI bandeja, le vaciara la SUYA. Y, por último, que, ya que cargaba con MIS libros, cargara con los SUYOS.

¡MADRE MÍA!

¡No pude AGUANTAR MÁS!

¡¡YO, GRITANDO A TIFFANY!!

¡Pero sólo lo dije en el interior de mi cabeza y nadie más lo oyó!

Mi primer día aquí, en la Academia North Hampton Hills, ha sido muy, er... ¡¡AGOTADOR!!

Sin embargo, a no ser que quiera abandonar el programa de intercambio de alumnos y toda esperanza de ir a París, no tengo más remedio que intentar aguantar a Tiffany y a los hipócritas de sus amigos.

Bueno, ¡al menos ya sólo quedan CUATRO días!

¡¡Lo BUENO es que PEOR ya no puede ser!!

¡Lo MALO es que quizá esté muy EQUIVOCADA respecto a lo BUENO!

¡¡☹!!

¿Por qué mi presencia en North Hampton Hills está haciendo que me sienta como si viviera en un universo paralelo TOTALMENTE SURREALISTA?

Esta mañana me encontré con Tiffany, Hayley y Ava en la puerta principal. Tiffany me dio un gran abrazo y besos al aire. "¿Cómo está hoy mi nueva BFF? ¡Me encantan tus zapatos!".

Hayley y Ava me miraron con desprecio de arriba abajo y no dijeron ni mu.

¿Qué? Están celosas, ¿eh?

Íbamos andando por el pasillo, pero Tiffany estaba tan ocupada enviando su última selfie que sin querer chocó con un chico cargado con libros, una caja y lo que parecía una espada láser de plástico.

El chico se quedó muy sorprendido y despatarrado en el suelo junto a sus lentes...

¡TIFFANY CHOCA CON
UN ALUMNO Y LO DERRIBA!

"¡Si serás torpe e IDIOTA!", gruñó Tiffany. "¿Cómo voy a enviar mi mensaje si te me echas encima como si esto fuera un campo de futbol americano?".

"¡Lo s-siento, Tiffany!", tartamudeó el chico algo confuso mientras se levantaba.

"¡Mira que son PATÉTICOS los frikis del club de ciencias!", se burló Hayley. "Además, ¿no eres ya un poco mayorcito para traer juguetes al cole?".

"Claro que sí te lo ha dicho la profesora... Pues anda, corre, que las aulas de primaria están en el edificio de niños, en el otro lado". El chico se fue tambaleándose, humillado. "¡Y a ver si CRECES!".

Tiffany se puso otra vez a mandar sus mensajes diciendo: "¡Tienen que ver las dos selfies que me tomé esta mañana cuando me lavaba los dientes y cuando me comía los hot cakes! ¡Las van a ADORAR!".

Me quedé parada y alucinando, preguntándome si esas chicas eran extremadamente CRUELES ¡¡o simplemente INÚTILES mentales!!

Al final decidí que eran ¡LAS DOS COSAS!
Y me enojé tanto que quería...
¡¡ESCUPIR!!

"Perdona, Tiffany, pero a mí me pareció que TÚ chocaste con ese chico", le dije muy molesta. "Menos mal que no se hizo daño".

Tiffany dejó de escribir de golpe y me miró. Hayley y Ava se cruzaron de brazos arrugando la nariz como si yo acabara de ponerme un nuevo perfume llamado Acqua de Pipí de Gato.

"¡Pero, Nikki, ¿tienes algún PROBLEMA? ¿No será ENVIDIA de mis selfies de LUJO?", ironizó mientras Hayley y Ava asentían con la cabeza.

"Yo no tengo ningún problema. Pero si tú vas escribiendo mensajes por un pasillo lleno de gente, es normal que choques", expliqué pacientemente.

Las tres pusieron los ojos en blanco de una forma tan exagerada que parecía que se les iban a saltar de las órbitas y salir rodando por el pasillo...

TIFFANY Y SUS BFF,
FULMINÁNDOME CON LA MIRADA.

"¿O sea que ahora vas de Doña Perfecta?", dijo
Tiffany sonriendo con suficiencia. "¡Lo siento, guapa,
pero aquí todos conocemos TU reputación!".

"¡Ya sé que no soy perfecta!", me defendí. "¡Pero
tampoco me dedico a ser especialmente CRUEL con
la gente!".

"¡No me digas! Y entonces ¿cómo es que MacKenzie Hollister tuvo que pedir un traslado a este colegio para alejarse de TI?", preguntó Hayley.

"Por lo que cuentan, ¡le hiciste la vida imposible y se sentía muy TRISTE!", dijo Ava.

"¡NO es verdad!", exclamé.

"¡Yo también me sentiría TRISTE si me ARRUINAN mi gran fiesta de cumpleaños saboteando la fuente de chocolate para empaparme a mí y a mis BFF!", replicó Tiffany.

"¡Y encima hiciste TRAMPA en el certamen de ARTE, hiciste TRAMPA en el concurso de TALENTOS e hiciste TRAMPA en el espectáculo benéfico sobre HIELO!", añadió Hayley.

"¡Por no hablar de cómo EMPUJASTE a la pobre chica dentro de un contenedor durante el Baile de San Valentín! ¡Y la volviste a EMPUJAR por una pista de ESQUÍ EXTREMO! ¡Se podía haber MATADO!", dijo Ava con desprecio.

"Pero ¡¿qué están diciendo?! ¡Todo eso es MENTIRA!", grité. "Son rumores malintencionados que alguien está difundiendo contra mí. ¡Yo JAMÁS haría ninguna de esas cosas tan HORRIBLES!".

"¡Ah, bueno! ¡¿O sea que no fuiste TÚ quien llenó el jardín de MacKenzie con papel higiénico en plena noche con ayuda de algunas de tus amigas GPS?!", preguntó Tiffany con los ojos entrecerrados.

Hayley y Ava también se quedaron mirándome con el mayor de los desprecios.

Y, claro, yo me puse FURIOSA.

"¡CLARO QUE NO FUI YO!", grité.

Pero de repente me vino a la cabeza un horrible recuerdo que me dejó fría.

Ya saben, hace cinco meses, en aquella piyamada que hicimos en casa de Zoey para Nochevieja, cuando acabamos en casa de MacKenzie en plena noche, ¡¡y pusimos en todo el jardín papel higiénico!!...

MIS BFF Y YO, EMPAPELANDO
LA CASA DE MACKENZIE.

"Bueno, er... ¡ESTÁ BIEN!", murmuré. "Ahora que
lo pienso, quizá SÍ le hice una broma a MacKenzie
empapelando su casa. ¡Pero no hice NINGUNA de las
otras cosas escandalosas! ¡O sea, que ni lo insinúen!".

"¡Admítelo de una vez, Nikki! ¡Eres tan Abeja Reina como YO! ¡Cuando quieres algo pasas por encima de todo y de quien haga falta! ¡De hecho, eso es lo que ADMIRABA de ti! ¡Hasta que me atacaste como una jauría de lobos!", gruñó Tiffany.

"Pero ¡qué TONTERÍA! ¡Si lo único que hice fue recomendarte que NO escribas mensajes en un pasillo atestado! ¿Eso es atacarte?", contesté.

"¡Lo siento, Nikki, pero te BORRO de mi vida! ¡Vamos, chicas!", exclamó Tiffany. "¡Tengo que capturar este momento tan intenso de mi vida tomándome otra SELFIE!".

Y entonces Tiffany, Hayley y Ava se fueron contoneándose por el pasillo. ¡Qué rabia me da cuando esas niñas ricas odiosas se contonean!

Fui directamente a la lujosa ala este del edificio, a mi enorme casillero, que está bajo un candil precioso y carísimo, y me puse a escribir sobre todo lo que acababa de pasar...

YO, ESCRIBIENDO EN MI DIARIO.

Aunque era una escuela ENORME y con centenares de alumnos, ¡de pronto me sentí muy sola!

Tragué saliva mientras notaba cómo se me inundaban los ojos de lágrimas. ¡☹!

¡NUNCA pensé que echaría TANTO de menos a mis amigos y a mi escuela, el WCD!

Estaba claro que Tiffany, Hayley y Ava eran las alumnas manipuladoras contra las que me había advertido la secretaria del colegio.

Y cuanto menos me relacionara con ellas, mejor.

¡¡☹!!

¡Las cuatro primeras clases de hoy se me han hecho ETERNAS!

Y, con Tiffany cuchicheando sobre mí y lanzándome miradas asesinas, todavía más.

Se diría que me odia más que a una bolsa de imitación.

Menos mal que llegó la hora del almuerzo. Pedí una hamburguesa de res con papas rejilla y de postre un yogur helado con fresas que tenía una pinta buenísima.

La mayoría de la gente estaba sentada con sus amigos.

Pero como yo no tenía ninguno, escogí una mesa vacía al fondo de la cafetería, junto a las papeleras para no molestar a nadie.

¡¡Y entonces pasó algo extrañísimo!!...

YO, SORPRENDIDA CUANDO UNOS CHICOS
PIDEN SENTARSE CONMIGO.

"Me llamo Patrick. Y éstos son Lee, Drake y Mario",
me dijo mientras se sentaban.

"¡Hola!", dije sonriendo. "¿Cómo sabes MI nombre?".

"¡TODO EL MUNDO sabe quién eres!", contestó Lee. ¡Hace un mes que todo el mundo habla de ti! ¡Digamos que en la NHH eres famosa!".

Me llevé un trozo de hamburguesa a la boca y me encogí de hombros. "Casi no me atrevo a preguntar, pero ¿famosa POR QUÉ?".

Se miraron entre ellos y luego me miraron a mí. "Bueno, por tu, er... reputación", contestó Drake.

"¡Buf, qué MAL suena eso! Si es por alguno de los rumores que he oído esta mañana, les advierto que TODOS son mentira", refunfuñé.

"¡¿AH, SÍ?!", exclamaron claramente decepcionados.

"Esperábamos que fueran verdad", dijo Lee.

"Tiffany se cree mucho y es muy mandona, como una guardiana de prisión. Pero dicen que tú la intimidas. ¡Deberíamos formar una alianza!", dijo Mario.

"¿Una alianza? ¿Qué clase de alianza?", pregunté.

"¡Bueno, si tú nos puedes ayudar, a lo mejor nosotros también podemos ayudarte a ti!", contestó Drake.

"¿Ayudarles a qué?", pregunté desconfiada.

"Todos somos del club de ciencias. Pero para no perder la subvención tenemos que mantener un número mínimo de miembros: seis alumnos además de los cuatro que formamos la junta directiva. Como somos menos, el lunes nos retirarán la subvención y ya no seremos un club", explicó Patrick. "Además, Tiffany convenció al presidente del consejo de estudiantes para que nos sustituya por su nuevo club fotográfico de selfies. Dice que sería más útil para el colegio porque ya tiene doce personas apuntadas".

"Bueno, ¿y han tratado de hacer una campaña para captar miembros?", pregunté.

"Sí, hicimos una en abril. ¡Y fue todo un éxito, porque doblamos la cifra de miembros!", dijo Lee.

"¡Estupendo! ¿Y entonces cuántos son AHORA?", pregunté.

"¡Pasamos de DOS a CUATRO miembros! Pero aún nos faltan seis. Colgamos una hoja de inscripción en el vestidor de chicos", presumió Drake. "¿Sabes la cantidad de alumnos que pasan por ahí? ¡Un montón!".

"¡Ajá! ¡¡¿Y LAS CHICAS QUÉ?!!", grité. "No me extraña que no se haya apuntado NINGUNA".

"Sí, supongo que lo hicimos fatal. ¿Qué dices? ¿Nos ayudarás?", me rogó Patrick.

"¡¡¡PORFAAAAA!!!", suplicaron los cuatro a la vez.

"Lo siento mucho, chicos, pero no creo que pueda hacer nada. ¿Han pensado en apuntarse al club de selfies? Puede ser divertido", dije encogiéndome de hombros.

"Bueno, también podemos plantearnos, er... medidas más DRÁSTICAS", sugirió Patrick.

"¿A qué te refieres con 'drásticas'?", pregunté.

La única medida DRÁSTICA que yo hubiera tomado era organizar una intervención para curarle a Tiffany su molesta ADICCIÓN A LAS SELFIES...

¡TIFFANY RECIBIENDO TRATAMIENTO MÉDICO PARA SU ADICCIÓN A LAS SELFIES!

"No sé, drástico como... er...", contestó Drake. "¿Como que le robes el diario y la chantajees para que deshaga el club de selfies?".

"O también podrías darle un pelotazo en toda la cara para que sufra amnesia y se olvide por completo de ese club", sugirió Lee.

"O podrías ponerle un bicho en el pelo y colgar el video en YouTube para que tenga que buscarse otro colegio después de tanta humillación", propuso Mario.

Estaba verdaderamente harta de que la gente siguiera repitiendo todos esos rumores. "¡YA LO SÉ!", grité sarcástica. "¡¿POR QUÉ NO EMPUJO A TIFFANY POR UNA PISTA DE ESQUÍ EXTREMO PARA QUE SE ROMPA LA NARIZ Y NO QUIERA VOLVER A TOMARSE UNA SELFIE EN SU VIDA?!".

Los chicos se pusieron a dar vivas y a chocarse los cinco.

"¡¡PERFECTO!!", dijo Patrick.

"¡¡MAGNÍFICO!!", exclamó Lee.

"¡¡ME ENCANTA!!", lanzó Drake.

"¡¡EXCELENTE!!", alabó Mario.

"¡Pues no, chicos, era broma! ¡Era lo que se llama SARCASMO!", gruñí.

"Bueno, pero ¿al menos vendrás a nuestra reunión del viernes, después de clase?", me rogó Patrick.

"No creo. Pero, por curiosidad, ¿qué hacen en esas reuniones?", pregunté.

"Bueno, pues empezamos sugiriendo una actividad. Luego votamos SÍ o NO introduciendo el voto en la urna. Después la abrimos y contamos los votos", explicó Mario.

"Y supongo que en el club organizan cosas divertidas como hacer experimentos, ir a museos tecnológicos y participar en ferias de ciencia, ¿no?", dije.

"¡No! Normalmente reconstruimos los combates de espada láser de nuestras escenas preferidas de las pelis de *Star Wars*. ¡Es lo máximo!", exclamó Lee.

¡Ahora entendía por qué en la mañana Patrick llevaba aquella caja y aquella espada láser!

"Pues no sé, chicos", dije suspirando. "Lo pensaré, ¿está bien? Si quieren, quedamos aquí mañana a la hora del almuerzo para volver a hablarlo".

Y así quedamos.

Los chicos me dieron las gracias y se fueron a clase esperanzados.

Aunque en el fondo yo ya sabía que no podría hacer nada para ayudarles a salvar su club de ciencias.

¡¡☹!!

Lo de Patrick y sus amigos del club de ciencias me daba mucha tristeza.

Porque sabía de primera mano lo que es enfrentarse a la IRA de Tiffany. Yo sólo tengo que aguantarla lo que queda de la semana, ¡pero esos pobres chicos la tienen que sufrir lo que queda de CURSO!

Tiffany es directamente una manipuladora que tiene por afición ARRUINARLE la vida a los demás.

Y hablando de manipuladoras...

Yo ya me imaginaba QUIÉN estaba haciendo correr aquellos rumores MALINTENCIONADOS sobre MÍ.

Cuando vi la hora en el reloj de pared agarré mi bolsa y me fui corriendo a clase.

Pero al darme la vuelta me quedé congelada, porque me encontré de narices con...

¡MACKENZIE HOLLISTER, MIRÁNDOME
ALUCINADA Y HORRORIZADA!

¡MacKenzie me miraba como si hubiera visto un fantasma! Y luego se me encaró como si fuera, er... ¡mi CREMA FACIAL casera!

¡Yo estaba tan enojada con ella que la hubiera ABOFETEADO hasta el infinito y más allá!

Claro que nunca haría algo así porque soy una persona muy pacífica y nada violenta.

¡Y además tengo ALERGIA a las PALIZAS!

La última vez que vi a MacKenzie en Dulces Cupcakes, el día 30 de abril, estaba con sus nuevos amigos de la NHH. Pero era **OBVIO** que estaba fingiendo que era YO. Como si hubiera robado MI vida pero manteniendo SU nombre.

LISTA DE MENTIRAS DE MACKENZIE
(o ¡CÓMO ROBÓ MI VIDA!)

MacKenzie dijo que ELLA:

1. Tenía una banda llamada *Aún no Estamos Seguros*.

2. Tenía un contrato de grabación con Trevor Chase.

3. Fue coronada princesa de San Valentín en el baile anual con Brandon como pareja.

4. Llevaba una sección de consejos en el periódico de la escuela llamada "Señorita Sabelotodo".

5. Era voluntaria habitual del refugio para animales Fuzzy Friends.

6. Había organizado una recogida de libros para la biblioteca escolar.

7. Había ganado un premio en metálico para una causa benéfica en un concurso de patinaje sobre hielo.

Y, por si esto fuera POCO, ¡MacKenzie TAMBIÉN había lanzado un montón de rumores diciendo que YO le había hecho a ELLA todas las cosas CRUELES que en realidad ELLA me había hecho a MÍ!

Total, que la señalé con MI dedo en SU cara y grité...

¡YO, MIRANDO A MACKENZIE
ALUCINADA Y HORRORIZADA!

Y de repente la situación se puso muy muy tensa.

"¡Para qué iba a querer YO tu PATÉTICA vida, Nikki! Ahora dime, ¡¿QUÉ haces en MI colegio?!".

"Estoy en el programa de intercambio de alumnos. ¡Pero me daba HORROR venir a North Hampton Hills por TI! ¡Sólo estoy aquí porque quiero el viaje GRATIS a PARÍS que patrocina este colegio! ¡Mi profe de francés me dijo que tenía muchas posibilidades, aunque supongo que estoy perdiendo el tiempo porque me dijeron que la responsable del viaje, Madame Danielle, es una arpía que se deja SOBORNAR con chocolate!", grité.

"Pues mientras estés por aquí, ¡métete en tus asuntos! ¡No pienso dejar que me arruines la vida! ¡No te imaginas lo que me ha costado poder entrar en este colegio!".

"¡MacKenzie, para ti todo es MUY fácil! ¡Todo te lo ponen en bandeja de plata!".

"¡Te EQUIVOCAS! ¡Un poco más y ni entro! En el examen de entrada me puse muy nerviosa y saqué tan mala calificación que mis padres tuvieron que donar un montón de dinero para que me admitieran. O sea que, Nikki, ¡no tienes ni idea!".

Le lancé una mirada fulminante.

Y ella me lanzó una mirada fulminante.

De pronto, oímos a alguien reírse por lo bajo. "¡OH, CIELOS! ¡Qué DRAMÓN! ¡Y yo sin palomitas!".

MacKenzie y yo nos volteamos y nos quedamos sin habla.

TIFFANY estaba justo detrás de nosotras, ¡FILMÁNDONOS con el CELULAR!

Dejó de filmar y se apartó la melena.

Luego se colocó delante de nosotras y en pose de modelo.

MacKenzie y yo mirábamos incrédulas cómo ponía cara de pato y se tomaba una selfie rápida...

¡TIFFANY TOMÁNDOSE UNA SELFIE
CON MACKENZIE Y CONMIGO!

"¡Lo siento, chicas! ¡Pero las dos vienen de un sitio muy mugriento, el Westchester Country Day! ¡NUNCA serán lo bastante buenas para la North Hampton Hills! Y este video es la prueba que necesitaba. ¡Así que ya se pueden quitar de la cabeza la idea de venir aquí y quitarme MI puesto de ABEJA REINA! ¡Ni se les ocurra!".

MacKenzie y yo nos miramos. Nadie puede dudar que nos ODIAMOS desde el mismo día en que nos conocimos.

Luego las DOS miramos a Tiffany, una diva adicta a las selfies decidida a DESTROZARNOS la vida a ambas. ¡¡Posiblemente era la ÚNICA persona a la que las dos ODIÁBAMOS más que LA UNA A LA OTRA!!

Tiffany miró la foto y dijo entre risitas: "¡Creo que nos salió una selfie MONÍSIMA! ¡Qué ganas tengo de que la vean! Ya se las enviaré, ¿de acuerdo? ¡Les va a ENCANTAR! ¡Hasta luego! ¡Ah, por cierto, ADORO sus zapatos!".

¡Me quedé totalmente ESTUPEFACTA!

¡En pocas horas Tiffany había pasado de ser mi nueva BFF a ser mi AMIENEMIGA NADA AMISTOSA!

¡¡Es de lo PEOR!!

De repente lo vi todo muy claro.

No había NINGUNA posibilidad de que pudiera SUPERAR el programa de intercambio.

¡¡☹!!

¡Tener que aguantar a MacKenzie es muy MALO!

¡Y tener que aguantar a Tiffany es HORRIBLE!

Pero, tener que aguantar a MacKenzie y a Tiffany AL MISMO TIEMPO me hace directamente...

¡¡GRITAAAAAAAAR!! ¡¡☹!!

Por un momento pensé seriamente en decirle a mi mamá que ya no podía ir al colegio en lo que queda de semana porque me sentía muy ¡ENFERMA y CANSADA!

ENFERMA y CANSADA de que MacKenzie intentara ROBARME la vida.

ENFERMA y CANSADA de que Tiffany intentara ARRUINARME la vida.

¡No sé si voy a poder aguantar muchos MÁS MELODRAMAS de este par!

Y, francamente, si pudiera elegir, preferiría hacer una LLORADERA MONUMENTAL en la intimidad de mi habitación que en North Hampton Hills delante de cientos de alumnos.

Había dos chicas en el casillero de al lado y no pude evitar oír lo que decían.

"Total, que Tiffany dijo que tenía que apuntarme ahora mismo al club de selfies para que pueda sustituir al club de ciencias. Pero, si te digo la verdad, preferiría mil veces estar en el club de ciencias que abanicando a chicas GPS para sus fotos", gruñó una chica con cola de caballo.

"¡Totalmente de acuerdo! Yo ni sabía que TENÍAMOS un club de ciencias", dijo su amiga.

Decidí presentarme. "Hola, me llamo Nikki Maxwell y vengo del Westchester Country Day, y estoy aquí de visita como alumna de intercambio".

"¡Hola, yo soy Sofia y ella es mi BFF Chase", contestó la chica con cola de caballo. "¡Un momento!

¿No serás LA Nikki que intentó cerrar el refugio para animales Fuzzy Friends?".

"¿Se puede saber por qué ODIAS a los cachorritos?", preguntó Chase. "¡Con lo ADORABLES que son!".

Yo pensé: "¡¡GENIAL!! ¡¡☹!!".

"¡Pues NO! Fue otra chica que también se llama Nikki", mentí. "Y que al parecer es muy MALA persona. ¡Yo precisamente ADORO a los cachorros!".

Sofia y Chase asintieron con la cabeza.

Seguí hablando: "Por cierto, ¿no les interesaría apuntarse al club de ciencias? Tienen una reunión el viernes para captar nuevos miembros y están pensando actividades buenísimas para el curso que viene. Necesitamos sus ideas. ¡Será divertido!".

"¡Sí! ¡Las chicas de ciencias GUSTAN!", dijo Sofia.

"¡Sí! Y todo mezclado mejor: ciencia, tecnología, ingeniería, mate y arte. ¡SUPERENCANTA!", añadió Chase.

"¡GENIAL! ¡PUES APUNTEN SUS IDEAS
Y LAS EXPONEN EN LA REUNIÓN!".

"Si les interesa, a la hora del almuerzo estaré con
algunos de los miembros del club de ciencias", dije.

"¡Muy bien!", contestaron sonriendo Sofía y Chase.

Aún quedaba mucho por hacer, pero a lo mejor nuestro plan de salvar el club de ciencias podía funcionar.

A Tiffany le va a dar un SOPONCIO cuando descubra que su club de selfies está en peligro.

¡Pero no me interesan Doña Abeja Reina y su triste cortejo de abejas obreras!

Ahora tengo tres objetivos importantes: 1) evitar a Tiffany y a MacKenzie como a la peste; 2) ayudar a Patrick a salvar el club de ciencias y 3) ¡convencer a Madame Danielle para que me conceda el viaje a París!

En cuanto lo tenga todo, ¡SALGO DE AQUÍ POR PATAS!

¡☺!

Cuando llegué a biología, el profesor Winter había vuelto a "perder" su cuaderno de clases, lo que significaba que tocaba ver *Parque Jurásico*.

Al final, creo que descubrí por qué pasa tantas veces esa película en sus horas de clase.

¡Debe de ser para DISTRAER a los alumnos! ¡Para que se callen y lo dejen en paz mientras él busca en internet un PUESTO DE PROFESOR en otro COLEGIO!

Al pobre hombre se le ve MEGAestresado.

Me dio mucha lástima.

Tiffany estaba en su mesa hablando con sus amigas, pero, cuando me vio, hizo algo extrañísimo.

Se acercó hasta mi mesa y me dio un ABRAZO que duró una ETERNIDAD.

"Nikki, quiero disculparme por lo que pasó ayer", dijo con voz dulce. "Se me fue la situación de las manos. Nada de lo que dije iba en serio y tú tenías razón. ¿Qué te parece? ¿Estamos en paz?".

¡Me quedé fría!

¡NUNCA en la vida me había pedido perdón una GPS!

MacKenzie preferiría que la enterraran viva con un vestido de poliéster comprado en el supermercado y zapatos de imitación antes que pedir perdón a NADIE.

Parecía demasiado bello para ser verdad.

Quizá Tiffany no era tan mala como yo me había imaginado.

Decidí darle OTRA oportunidad. Pero seguía sin FIARME del todo de ella.

"¡Sí, claro, no pasa nada! En paz", dije sonriendo.

"¡Supergenial!", exclamó. "¡Volvemos a ser íntimas!".

Y volvió a su mesa y empezó a soltar risitas y a cuchichear con sus amigas.

Cuando el profesor estaba a punto de apagar las luces para poner la película, Tiffany levantó la mano.

"Profesor Winter, quería decirle que vi a alguien ROBÁNDOLE el cuaderno de clases".

¡ESO sí que me sorprendió!

Sobre todo porque Tiffany me había confesado que ELLA llevaba todo el curso robándole el cuaderno de clases.

El profesor Winter frunció el ceño y levantó una ceja. "Vaya, gracias, señorita Davenport. ¿Y tendría la amabilidad de decirme quién es el LADRÓN?".

Lo que Tiffany hizo a continuación fue tan ESCANDALOSO que me quedé con el ojo cuadrado.

Se levantó, me señaló y dijo...

TIFFANY, ACUSÁNDOME DE
ROBARLE EL CUADERNO AL PROFESOR.

¡La miré sin poder creerlo! Ya sabía que era una
adicta a las selfies cursis y odiosas. ¡Pero NO sabía que
TAMBIÉN era una mentirosa patológica!

"Profesor Winter, no es... no... ¡NO es verdad!", dije tartamudeando. "¡Yo no le robé el cuaderno! ¡NO está en mi bolsa! Mire...".

Toda la clase me miró embobada mientras yo vaciaba frenéticamente mi bolsa sobre la mesa.

"¿Lo ve, profesor Winter? Aquí NO est...".

Me quedé a media frase y megapasmada.

Sobre mis libros de texto había un gran cuaderno de cuero marrón que no había visto nunca.

Fulminé con la mirada a Tiffany. Supongo que me metió el cuaderno del profesor en la bolsa mientras me abrazaba.

Esa SERPIENTE adicta a las selfies se encogió de hombros y me sonrió poniendo cara de inocente.

El profesor Winter vino a grandes zancadas hasta mi mesa y cogió bruscamente el cuaderno.

¡YO, PASMADA CON LO DEL
CUADERNO DE CLASES!

"Señorita Maxwell, aquí tenemos una política de tolerancia cero ante los HURTOS", dijo con solemnidad. "¡Sepa que comunicaré al director Winston su despreciable comportamiento!".

"Pero, profesor Winter, ¡no lo entiende! ¡Yo NUNCA har...!".

"¡Guárdese las EXCUSAS para cuando vuelva al Westchester Country Day!", me cortó.

Me quedé ahí sentada, paralizada, sintiendo en el pecho el corazón latiendo como un bombo.

Y oyendo las risitas de Tiffany y sus amigas a mi espalda.

¡Me sentía mucho más que HUMILLADA!

¡¡Quería cavar un agujero muy profundo para esconderme y MORIRME!!

¡¡☹!!

Aunque seguía bastante traumatizada por la bronca en la que me había metido Tiffany en biología, tenía ganas de que llegara la hora del almuerzo para estar con los chicos del club de ciencias.

Sofia y Chase se sentaron con nosotros y trajeron su lista de ideas creativas para el club.

Las dos se sentían muy a gusto y enseguida se llevaron muy bien con los chicos.

Sugerí que la reunión del viernes en el laboratorio sirva por igual para captar socios y para celebrar una FIESTA, con pizza de Queasy Cheesy y todo.

¡A todo el mundo le ha ENCANTADO mi idea!

Pondremos hojas de inscripción para el club por todo el colegio en lugar de sólo en el vestidor de chicos.

Lee y Mario dijeron que se encargarán de la pizza y los refrescos, y Patrick y Sofía, de los adornos. Drake hará de DJ con una lista de canciones sobre la ciencia, empezando por su favorita, *She Blinded Me With Science*, que significa "me ha deslumbrado con la ciencia".

Chase propuso entonces como lema "¡Deslumbrados por la ciencia!" y dijo que haría los carteles.

También se le ocurrieron unos obsequios de fiesta muy lindos y SUPEReconómicos que podemos comprar en la tienda de todo al mismo precio.

Les recordé lo importante que era invitar a amigos y a otros alumnos a la fiesta del club de ciencias, digo, ¡a la reunión del club de ciencias!

La idea era demostrar que, además de interesante, la ciencia puede ser divertida y emocionante.

Al final nos motivamos tanto todos que perdimos por completo la noción del tiempo.

Para cuando terminamos de planearlo todo, se había acabado la hora del almuerzo y teníamos menos de un minuto para llegar cada quien a su clase.

A mí no me preocupaba mucho llegar tarde hasta que me acordé de que tenía educación física.

Ayer nos pasamos toda la hora estudiando los principios de la equitación y las medidas de seguridad.

Y hoy era el día de MONTAR de verdad.

Entonces recordé el AVISO de Tiffany sobre lo importante que era llegar al establo diez minutos ANTES para elegir montura.

¡GENIAL! ¡☹! Salí corriendo con la esperanza de llegar antes de que fuera demasiado tarde.

Me puse a toda velocidad la ropa de montar y corrí hacia el establo para elegir caballo.

Pero, por desgracia, sólo quedaba por elegir UNO...

"¡¿EL PONI COMPI?!".

Me le quedé mirando alucinada. Era el MALVADO caballo..., digo, poni... que nadie quería montar.

"¡Mira qué BESTIA tan fea y asquerosa!", se burló Tiffany, que estaba detrás de mí. "¡Creo que tienes al pobre Compi ATERRORIZADO!".

Estaba tan furiosa que prácticamente echaba HUMO por las orejas. Y en ese momento salió humo de otro sitio... ¡del trasero de Compi! ¡PUAJJ! ¡☹! ¡MADRE MÍA! ¡La peste era INSOPORTABLE! El poni olía como si hubiera comido diecinueve latas de alubias y siete pares de calcetines de deporte sucios y sudados.

Toda la clase salió del establo hacia la senda menos Compi y yo.

"¡Vamos, Compi! ¡Vámonos!", gruñí mientras le daba golpecitos con los pies.

Compi me miró mal y relinchó muy fuerte.

"¡Deja de quejarte!", contesté furiosa.

Pateó contra en el suelo y se echó otro pedo. Luego salió disparado del establo en dirección a la senda y convertido en un potro salvaje...

¡COMPI INTENTA MATARME MIENTRAS
YO ME AGARRO COMO PUEDO!

Tiffany y Ava me señalaban y se reían de mí.

"¡Yijaaa! ¡Tú puedes, vaquera!", gritó Ava.

"¡Éste es el mejor rodeo CÓMICO que he visto nunca!", dijo Tiffany entre risas. "¡Y Nikki la mejor payasa!".

Pero ¿cómo podían BROMEAR cuando existía un riesgo real de que ese poni DESQUICIADO me hiriera o incluso me MATARA? Menos mal que a los diez minutos Compi debe de haber agotado su energía negativa, porque de pronto se calmó y se puso a trotar con elegancia por la senda y de vuelta al establo.

A todos, incluida la profesora, les impresionó cómo controlé a Compi con mis grandes dotes de amazona. Pero Tiffany y Ava me fulminaron con la mirada y pusieron los ojos en blanco.

Ya en el establo, le di a Compi una zanahoria por portarse bien. Entonces se echó un pedo, me sonrió, resopló y se quedó dormido.

¡Mi poni ha sido el mejor COMPI del mundo! ¡¡☺!!

Chloe y Zoey vinieron hoy a mi casa después de clase para ver cómo me iban las cosas por la NHH.

Al principio intenté mentir y contarles lo maravilloso que era todo. Pero al final exloté y les conté la verdad. ¡Era un desastre!

¡MacKenzie difundió rumores malintencionados sobre mí y prácticamente robó mi vida! Tiffany me grabó en secreto mientras yo hablaba mal de la profesora de francés, lo que significaba que ¡NUNCA me concederían el viaje a París! ¡Y el profesor Winter creía que le había robado su cuaderno de clases y me iba a denunciar con el director Winston!

"Nikki, escúchame: ¡NO vuelvas a ese colegio!", me insistía Zoey. "¡No tienes por qué castigarte así!".

"¡MADRE MÍA! ¡Ese sitio parece HORRIBLE!", exclamó Chloe. "¡No sé cómo puedes aguantarlo!".

Y entonces rompí a llorar...

¡¡BUAAAAAAAA!!

"Tienen razón, chicas. Pero hice algunos amigos y me gustaría despedirme de ellos en lugar de desaparecer de la faz de la tierra", dije sorbiéndome los mocos.

Quedamos en que el jueves sería mi último día en la NHH, aunque eso supusiera tener que ir a las clases de verano. Por un lado me sentía aliviada sabiendo que el dramón acabaría pronto, pero por otro no podía evitar cierta preocupación por mis amigos del club de ciencias. ¡¡☹!!

Con tanta tensión y estrés sobre tantos temas apenas pude pegar ojo esta noche.

Mi meta era superar mi último día en la NHH. Total, las cosas no podían empeorar, ¿no?

¡PUES SÍ! ¡Durante el desayuno me llegó un mensaje de MacKenzie!

Me citaba en la fuente del colegio antes de la hora de estudio para hablar de NUESTRO problema con Tiffany. Yo le escribí: "???", pero no contestó.

A la hora del almuerzo vinieron a mi mesa todos los miembros del club de ciencias y comentamos muy emocionados el acto de mañana.

Me agradecieron todo lo que he hecho y me dijeron que el club tenía un premio especial que me pensaban dar en la fiesta. Y todo el mundo se puso a vitorear.

No tuve más remedio que dar la mala noticia: "Me temo que HOY es mi último día en la NHH. Pero, aunque yo no pueda asistir a la fiesta del club de ciencias, ¡estoy convencida de que será un gran éxito!".

Lo que pasó después no me lo esperaba para nada.

"Nikki, si TÚ no vas a ir, ¿para qué vamos a hacerla?", refunfuñó Patrick decepcionado.

"¡Es verdad!", dijo Sofia. "¡Nos metiste a todos en esto y ahora te VAS!".

"¡NO es justo!", se lamentaron todos a la vez.

Tuve que contarles todo el drama con MacKenzie, Tiffany y el profesor Winter y por qué tenía que irme antes de que la cosa empeorara.

"Pero tú nos animaste a hacer frente a Tiffany y a no dejar que nos cierren el club. ¡Si ahora te vas, TÚ estarás dejando que GANE Tiffany!", dijo Patrick.

La verdad es que no le faltaba razón. Pero cuando les conté que estaba estresada y que irme antes podría resolver mis problemas, todos me entendieron.

Sin embargo, lo que hicieron después me decepcionó mucho.

"Propongo una votación para cancelar la reunión del club de ciencias y dejar que se convierta en el club de selfies", musitó Patrick. "Pongan 'SÍ' o 'NO' en la boleta y métanla en la urna. Nikki, tú las cuentas".

Yo pensé: ¡¡GENIAL!! ¡¡☹!! Mientras contaba las boletas se me hizo un nudo en la garganta. Había seis votos y todos decían 'SÍ' a cancelar la reunión del club.

¡Mis amigos se habían rendido y Tiffany había GANADO!

El resto del día se me hizo eterno.

Pensé que vaciaría el casillero y devolvería la credencial de estudiante DESPUÉS de reunirme con MacKenzie en la fuente...

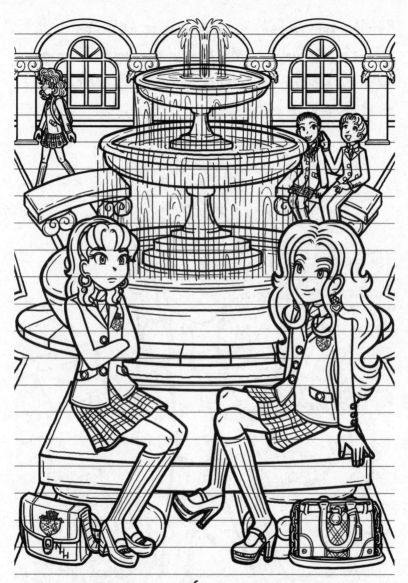

Yo quería saber POR QUÉ había difundido todos aquellos rumores sobre mí. Y cuando me contó su historia de terror me quedé helada...

Resulta que Tiffany y sus amigas se metieron de la forma más cruel con MacKenzie por aquel video del bicho en el pelo. De manera que empezó a esconderse en el baño para evitarlas...

Tiffany siguió haciéndole la vida imposible y
MacKenzie acabó convertida en una marginada social,
sin un solo amigo o amiga...

¡LO SIENTO, MACKENZIE! PERO ESE SITIO
VACÍO ESTÁ RESERVADO PARA MI BOLSA.

MacKenzie me contó que se sentía invisible porque le parecía que todos los alumnos de la NHH la ignoraban. Y todos los días se sentaba sola a almorzar...

Hasta que un día oyó a un grupo que hablaba del concurso de talentos de la tele *15 Minutos de Fama*.

Y cuando les contó que el famoso productor Trevor Chase había venido al WCD en marzo y había trabajado con ella y con la banda Aún no Estamos Seguros, los alumnos de la NHH entendieron que ella era la que llevaba mi grupo.

¡Se quedaron SUPERimpresionados! Y cuanto más hablaba MacKenzie sobre MI vida, más caso le hacían, más popular era y más amigos ganaba.

¡Hasta que se dejó llevar tanto por su maraña de mentiras que básicamente usurpó MI vida!

Y para crear más confusión y evitar que los alumnos de la NHH descubrieran quién era yo REALMENTE, empezó a lanzar los rumores malintencionados sobre mí.

¡¡Todo era muy SURREALISTA!!

¡Pero de repente fuimos BRUSCAMENTE interrumpidas!

¡Por TIFFANY! ¡¡☹!!

"Disculpen, chicas, pero tengo que tomarme unas selfies para mi blog semanal de moda sobre la nueva marca de maquillaje que llevo. Y están sentadas justo en el sitio con la luz más favorecedora de todo el colegio. Así que ¡LARGO!", dijo empujándonos.

MacKenzie y yo nos levantamos y nos quedamos ante la fuente mirándola mal. Tiffany se subió al banco como si fuera un escenario, se tomó varias fotos y puso una mueca de fastidio.

"¡Qué fastidio! ¡El sol está dando en la fuente!", se quejó mientras se subía al borde de piedra. "¡Vamos, quítense de en medio!".

"¡Tengo una idea mejor!", se burló MacKenzie. "¿Por qué no te COMES el celular a ver si te atragantas?".

"¿Hay celos de mi belleza? ¡Se siente!", contestó Tiffany balanceándose sobre sus tacones en el borde de la fuente mientras adoptaba varias poses.

MacKenzie y yo nos miramos. Creo que las dos tuvimos el mismo deseo perverso.

De repente a Tiffany le falló el pie y empezó a perder el equilibrio. "¡AAAY!", gritó.

MacKenzie y yo mirábamos alucinadas cómo se balanceaba adelante y atrás en cámara lenta, mientras agitaba los brazos en el aire como los polluelos que están aprendiendo a volar.

Justo cuando estaba a punto de caerse en la fuente, Tiffany se agarró al brazo derecho de MacKenzie para recobrar el equilibrio. Y lo consiguió, pero sólo unos dos segundos, porque luego desequilibró a MacKenzie y las dos empezaron a columpiarse sobre el borde de la fuente.

En ese momento yo salté al borde de piedra, agarré el brazo izquierdo de MacKenzie y la jalé en sentido opuesto, como en el juego de jalar de la cuerda.

Ahora estábamos LAS TRES balanceándonos hacia atrás y hacia delante sobre el borde de la fuente intentando no caernos. Parecíamos un extraño número de circo.

Cuando por fin pude agarrar a MacKenzie por la cintura y jalar con todas mis fuerzas, las tres caímos rodando al suelo de mármol que rodeaba la fuente. ¡Al menos no nos caímos DENTRO!

Pero con la fuerza de la caída el celular de Tiffany salió volando por los aires.

Tiffany vio HORRORIZADA cómo su celular se caía en la fuente y se hundía deprisa.

"¡OH, NO! ¡¡MI CELULAR!! ¡¡MI CELULAR!!", gritó histérica. ¡Y se LANZÓ directamente a la fuente por él!

Los gritos desesperados de Tiffany resonaban ya por todos los pasillos del colegio. "¡OH, CIELOS! ¡SE ESTROPEÓ! ¡¡¿Y SIN MI CELULAR CÓMO VOY A TOMARME SELFIES?!!".

Yo le dije a MacKenzie al oído: "A la pobre Tiffany se le mojó el teléfono. ¡Creo que deberíamos ser amables y ayudarla!"...

¡MACKENZIE Y YO HACIENDO VIDEOS DE TIFFANY PARA SU BLOG DE MODA! ¡¡☺!!

Tiffany siguió con su rabieta. "MacKenzie y Nikki, ¡¡las ODIO a las dos!! Sé que lo hicieron adrede para vengarse de mí. ¡Por robar el cuaderno del profesor Winter y echarle la culpa a Nikki! ¡Por hacer todas esas bromas pesadas a MacKenzie y hacerle la vida IMPOSIBLE! ¡Y por intentar cerrar ese club de ciencias tan TONTO e INÚTIL para poder tener mi FABULOSO club de selfies! ¡Es culpa DE USTEDES que YO haya tirado mi precioso celular! ¡Les juro que me vengaré! ¡Ya pueden tener cuidado, están advertidas! ¡LAS ODIO! ¡LAS ODIO! ¡¡LAS ODIOOOOO!!".

Y se puso a patalear y a salpicar agua por todas partes.

Entonces se le volvió a caer el celular y VOLVIÓ a zambullirse en el agua para recuperarlo.

¡MADRE MÍA! ¡El video de Tiffany era aún más LOKOO que el del bicho de MacKenzie!

MacKenzie y yo nos sonreímos. Y luego, en una muestra de unión sorprendente y sin precedentes, hicimos lo que nunca habríamos imaginado...

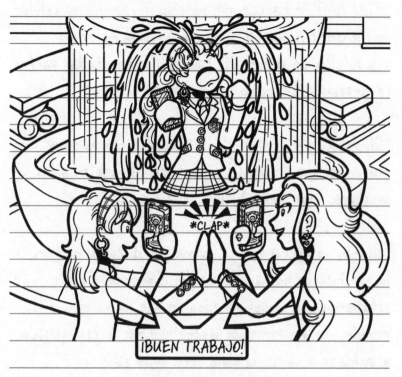

¡BUEN TRABAJO!

MACKENZIE Y YO,
¡¡DÁNDONOS LOS CINCO!!

¡Tiffany era una DÉSPOTA adicta a los celulares!
Pero ahora, con ese video, esperábamos que se pensara
dos veces lo de vengarse de nosotras.

Alguien me tocó el hombro. Me giré y vi sorprendida
que era Patrick, que estaba detrás de mí.

"¡CARAMBA! Parece que no sólo Tiffany y su celular se MOJARON mucho, sino que además me temo que su club de selfies SE ESCURRE por todas partes. ¡Y gracias a ti!", dijo con una gran sonrisa.

"Sí, pero ¿y mi reputación? ¡Ahora dirán que soy tan cruel que AHOGUÉ un celular! ¡Protejan a las criaturas, que viene Nikki!", dije riendo.

"Bueno, no quería que te fueras sin disculparme por lo que hicimos hoy a la hora del almuerzo. Es que estábamos muy decepcionados de que no vinieras a la reunión. Te agradecemos mucho que nos hayas apoyado y ayudado a salvar el club, pero nada salió como habíamos previsto", explicó Patrick.

"No pasa nada. Acepto las disculpas. ¡Pero, oye, ya va siendo hora de que dejen de jugar con sus espadas láser en las reuniones del club!", le dije. "¡Y mañana daremos la fiesta del club de ciencias que habíamos prometido! ¡Y será INCREÍBLE! ¡Así que ve a buscar a todos y pongámonos manos a la obra!".

¡¡☺!!

Hoy era mi ÚLTIMO día en la NHH y tenía la agenda completa.

Tiffany no me ha dirigido la palabra en todo el día. Supongo que es porque tengo un video de ella confesándolo todo y haciendo un berrinche monumental en la fuente del colegio. Aunque su maquillaje era perfecto, imagino que preferirá que no suba MI video en su blog de moda. ¡¡☺!!

¡Creo que ahora MacKenzie y yo somos AMIENEMIGAS! Lo cual es una mejora muy ligera con respecto a ser ENEMIGAS MORTALES que se ODIAN A MUERTE. Pero, mira, algo es algo.

Como me hice amiga de Patrick y los demás, decidí ayudarlos a salvar el club de ciencias.

Quedamos en el colegio una hora antes para colgar hojas de inscripción y carteles que provoquen ganas de apuntarse a nuestro club.

Fui a ver a Chase al aula de arte y me encantaron sus carteles...

Los carteles eran tan buenos que llamaban mucho la atención en los pasillos del colegio.

A las doce tenía la cita con la profesora Danielle para hablar del viaje a París y estaba hecha un manojo de nervios.

Empezó explicándome que le había gustado mucho tenerme en su clase de francés y que le habían hablado mucho de mí otros profesores, sobre todo el señor Winter.

Al oír eso me estremecí: seguro que me iba a decir que había sido descalificada para el viaje.

Madame Danielle dijo que Patrick y Sofia fueron a hablar con el profesor Winter para explicarle que yo no robé su cuaderno de clases porque, si no, se lo habría devuelto de inmediato, antes de vaciar mi bolsa.

El profesor Winter les creyó porque ya le habían robado el cuaderno meses antes de que yo llegara, de manera que ¡me recomendó para el viaje, al igual que mi profe de francés del WCD!

Para mi sorpresa, la reunión salió muy bien...

¡MADAME DANIELLE DIJO QUE NOS COMUNICARÍA SU DECISIÓN SOBRE EL VIAJE A PARÍS DENTRO DE TRES SEMANAS!

También me explicó que creía que con mis dotes artísticas yo podía aprovechar mejor la visita al Louvre que la mayoría de los alumnos.

Total, ¡que ahora mismo estoy que salto de contenta! La semana ha sido DESASTROSA, pero creo que ¡AÚN tengo muchas posibilidades de que me den el viaje a París!

¡¡YAJUUUUU!! ¡¡☺!!

Cuando sonó el timbre de final de clases, fui corriendo al laboratorio de ciencias. Estaba decorado con globos de colores y con la banderola del club.

Había una mesa con comida y la música estaba a tope.

Aunque estábamos SUPERnerviosos, al final lo teníamos todo listo.

Suspiré aliviada cuando abrimos la puerta y entró de golpe un montón de gente que estaba haciendo cola impaciente...

YO

¡¡La fiesta para captar miembros fue un enorme éxito!! ¡A la gente le ENCANTÓ lo que dimos de obsequio: unos lentes de sol lindísimos!

¡Y los panqués que yo había encargado en Dulces Cupcakes estaban de MUERTE!

¡Pusimos una música superdivertida! ¡Y cada vez que sonaba la canción de *Deslumbrados por la ciencia* todo mundo se volvía LOKO!

¡MADRE MÍA, lo bien que baila Chase! Sofia me contó que compite y que ha ganado muchos premios.

¡Al final teníamos dieciséis miembros nuevos y ya sumábamos veintidós! Como muestra de agradecimiento, ¡mis amigos me hicieron miembro honorario del club! ¡YAJUUUU! ¡¡☺!!

Cuando nos pusimos a pensar en actividades para el curso que viene, no pude evitar hacer un chiste: "¡Muy bien, los que estén a favor de reconstruir escenas de combate con espada láser de *Star Wars*, que levanten la mano!", dije muy seria.

Lógicamente, los únicos que levantaron la mano fueron Patrick, Drake, Lee y Mario.

"¡Muy bien! ¡Pues ahora, con esa misma mano, dense una BUENA BOFETADA!", dije riendo.

Todo el mundo se murió de risa, incluidos ellos. Creo que entendieron mi mensaje.

Pronto llegó la hora de despedirnos con abrazos y prometiéndonos que seguiríamos en contacto.

Mi semana en North Hampton Hills acabó mucho mejor de lo que había imaginado. Pero me preocupaba una cosa: que el problema de Tiffany fuera CONTAGIOSO. ¿Que por qué?

¡Porque fui YO la que propuso tomarse una SELFIE de CELEBRACIÓN con los veintidós miembros del recién mejorado club de ciencias! ¡No quería olvidar NUNCA lo bien que lo pasamos todos juntos deslumbrados por la ciencia!

¡¡☺!!

¡MADRE MÍA! ¡No puedo creer que al final haya SUPERADO el programa de intercambio de alumnos de la Academia Internacional North Hampton Hills!

¡¡¡YAJUUUUU!!! ¡¡☺!!

Aunque el acto del club de ciencias fue un éxito extraordinario, ¡mis últimos minutos en la NHH fueron un completo DRAMÓN! Acababa de vaciar mi casillero y me dirigía hacia la oficina para devolver la credencial de estudiante cuando vi un montón de gente alrededor de un casillero del pasillo del ala oeste.

Como hoy el equipo de futbol de la NHH jugaba en casa, muchos alumnos se habían quedado después de clase. Intrigada fui hacia el casillero para ver qué pasaba.

¡MADRE MÍA! Tuve una sensación horripilante de déjà vu...

¡ALGUIEN HABÍA PUESTO UN
LETRERO EN UN CASILLERO!

Lo más chocante es que en octubre a mí me habían escrito exactamente lo mismo en mi casillero del WCD.

Mi padre es fumigador y trabaja para mi escuela, el Westchester Country Day. Gracias a su trabajo recibí una beca de escolarización para poder ir allí.

Era mi secreto más oculto y vergonzoso, pero por desgracia MacKenzie lo descubrió y empezó a usarlo contra mí.

Por eso cuando alguien escribió "LA DIVA DE LOS BICHOS" en MI casillero con brillo de labios rojo, MacKenzie fue la ÚNICA y PRINCIPAL sospechosa.

Pero ¿POR QUÉ iba alguien a escribir "LA DIVA DE LOS BICHOS" en un casillero de la NHH?

En cuanto apareció la desesperada propietaria del casillero, la gente se dispersó.

Y entonces empecé a entender por dónde iban los tiros. Porque, para mi enorme sorpresa, el casillero era el de...

¡MACKENZIE, PASMADA ANTE EL LETRERO DEL CASILLERO!

Enseguida sospeché de Tiffany, porque ayer cuando hizo su rabieta nos advirtió: "¡Ya pueden tener cuidado!". Y MacKenzie me contó que Tiffany se había metido con ella por el video con el bicho en el pelo en sus primeros días en el NHH.

Me dio MUCHA lástima MacKenzie porque se veía muy afectada. Pero, claro, también me pregunté si no se habrá acordado de cuando ELLA escribió esas mismas palabras tan crueles en MI casillero.

MacKenzie estaba probando por fin su PROPIA medicina y lo tenía bien merecido.

Sin embargo, a mí sus odiosas acciones también me habían hecho sentir muy mal y muy sola. Por eso decidí ser su amiga, no su amienemiga.

"MacKenzie, ¿estás bien? ¡Qué broma tan horrible y tan cruel!", dije. "¡Siento que tengas que pasar por esto!".

MacKenzie se dio la vuelta poco a poco. Le resbalaban lágrimas por las mejillas...

¡MACKENZIE, ACUSÁNDOME DE HABER PUESTO ESE LETRERO EN SU CASILLERO!

"¡Mira, MacKenzie!", grité. "¡Ya sé que estás muy enojada! ¡Pero yo NUNCA me rebajaría a hacer algo así para hacerte daño ni a ti ni a nadie!".

"¡No creo ni una palabra! ¡Tú viniste a la NHH para humillarme!", gritó MacKenzie.

Por más que intenté convencerla de que era inocente, se negaba a creerme.

De repente Tiffany surgió de la nada.

"¡Eh! Nikki y MacKenzie ¿qué les pasa? Ya no parecen tan BFF. ¡OH, CIELOS, MacKenzie! ¿Qué le pasó a tu casillero? ¿Quién escribió eso? ¡Debe de ser alguien que te ODIA mucho!", dijo con un pestañeo inocente. "Bueno, me encantaría quedarme con ustedes, pero tengo que volver al partido de futbol. ¡Pásenla bien!".

Hay que reconocer que Tiffany es tan astuta como mala. Seguro que en alguno de esos horribles rumores le dijeron que YO había puesto ese letrero en el casillero de MacKenzie.

¡Y, claro, repetir la jugada en el casillero de MacKenzie en la NHH era la trampa PERFECTA!

¡¡Había conseguido vengarse de las dos al mismo tiempo desencadenando la Tercera Guerra Mundial!!

Nuestra recién estrenada "amistad" apenas había durado veinticuatro horas. Y PARA CERRAR CON BROCHE DE ORO, las DOS habíamos sido ridiculizadas como DIVAS DE LOS BICHOS.

Suspiré y me fui.

Devolví mi credencial de estudiante de la NHH con cierto regusto agridulce, porque ya había empezado a echar de menos a mis nuevos amigos.

Pero devolverlo también quería decir que regresaría a mi maravillosa vida en el WCD y a estar con amigos a los que quiero y que me quieren.

¡MADRE MÍA! ¡Me muero de ganas de volver!

¡¡☺!!

¡Estaba tan cansada física y mentalmente de mi semana en la NHH que podría haber dormido una ETERNIDAD!

Al FINAL, hacia las doce conseguí salir a rastras de la cama, pero sólo porque había prometido a Brianna que pasaría la tarde con ella en la cocina ayudándola a ganar la insignia de cocinera.

¡¡OTRA VEZ!! ¡¡☹!!

Cuando estaba comiendo y hojeando el recetario de mi mamá en busca de alguna cosa rápida y fácil de preparar, recibí un mensaje de Brandon:

BRANDON: ¿Qué tal tu semana en Hogwarts? Bonitos uniformes. LOL

NIKKI: Bien. Pero muchas ganas de volver al WCD. ¿Qué tal el South Ridge?

BRANDON: Divertido pq estuvimos con
Max C. Es un chico muy ocurrente. Su
hermano peq Oliver y Brianna son BFF,
¿verdad?

NIKKI: ¡Sí! Ahora ayudándola a conseguir la
insignia de cocinera scout. ¿Alguna idea
de comida superfácil para mocosas?

BRANDON: Bolas de palomitas de
caramelo. ¡Salen buenísimas!

NIKKI: ¿Bolas de palomitas? ¡Suena
megacomplicado!

BRANDON: ¡Qué va! ¡Superfácil! Hasta
yo puedo hacerlas y soy fatal en la
cocina. Ayer me hice unas.

NIKKI: ¿Seguro? ¿Qué ingredientes?

BRANDON: Palomitas y caramelos,
nada más. Y al microondas.

NIKKI: ¿Y ya está? ¡¿En serio?!
Enseguida vuelvo...

NIKKI: ¡Tenemos palomitas! ¡☺! ¡Pero
no caramelo! ¡☹!

BRANDON: Yo tengo una bolsa. Te la
llevo ahora mismo.

NIKKI: ¿Que vienes a mi casa?
¡¡¿AHORA?!!

NIKKI: ¿Brandon?

NIKKI: ¡Eh! ¿Estás ahí?

NIKKI: Es igual, ¡haremos sándwich
de crema de cacahuate!

NIKKI: ¿¿¿??? ¡¡☹!!

La desaparición de Brandon en mitad de nuestros
mensajes me molestó un poco.

Al cabo de un cuarto de hora escuché el timbre de la puerta. Abrí y ahí estaba Brandon con una bolsa de caramelos en la mano.

"Te faltaban caramelos, ¿no?", dijo sonriendo. "Y, ya que estoy aquí, les ayudaré con la receta secreta de bolas de palomitas que les voy a prestar".

Brandon nos contó su receta SUPERfácil de tres pasos: 1) fundir veintiocho caramelos masticables con dos cucharadas de agua en el microondas, 2) preparar una bolsa de palomitas y 3) mezclarlo todo bien, dar forma a las bolas y ¡A COMER!

Dijo que era una receta ingeniosa y a prueba de inútiles que él podía preparar hasta con los ojos cerrados. Pero ¿era a prueba de Brianna?

¡Brianna estaba emocionada con lo de hacer bolas de palomitas! Y Brandon y yo estábamos emocionados con lo de vernos después de estar una semana separados. Sin embargo, cuando Brandon ya tenía el caramelo fundido, Brianna empezó a portarse mal y a querer mandar...

¡BRANDON Y YO, AYUDANDO A BRIANNA
A HACER BOLAS DE PALOMITAS!

"Mira, Brianna, mientras Brandon va removiendo el caramelo, ¿TÚ por qué no pones las palomitas en el microondas? ¡¿A que suena DIVERTIDO?!", le dije para convencerla.

¡NO! ¡YO QUIERO REMOVER EL CARAMELO!", protestó haciendo pucheros.

"¡Pero tú haces MUY BIEN las palomitas! Así que eso es lo que te toca a ti", dije muy seria.

Leí en voz alta las instrucciones de la caja de palomitas. "Coloque UNA bolsa de palomitas en el microondas. Prográmelo a CUATRO minutos. Para TRES raciones".

"¡Bueno, pues yo haré las palomitas!", aceptó Brianna a regañadientes. "Pero, en cuanto acabe, YO removeré el caramelo y también lo PROBARÉ! ¡Tú NO mandas!".

Y me sacó la lengua. ¡Tremenda VERGÜENZA estaba pasando delante de Brandon por el comportamiento de niña MIMADA de mi hermana!

Le di a Brianna las palomitas. "Si quieres que te ayude, me dices".

No tardamos nada en tener la crema de caramelo preparada y enfriándose a temperatura ambiente y las palomitas saltando en el microondas. ¡La mezcla de aromas dulce y salado de la cocina era muy apetitosa!

Cocinar con Brandon era lo más, er... ¡ROMÁNTICO! ¡¡YAJUUUUU!! ¡¡☺!!

Él me miraba a mí y sonreía, y yo lo miraba a él y sonreía. Y así durante, no sé, ¡una ETERNIDAD!

Hasta que fuimos BRUSCAMENTE interrumpidos por Brianna. ¡Estaba tan feliz removiendo la crema de caramelo y canturreando! De pronto decidió probar un poco y se llevó el enorme tazón a la boca.

"¡Brianna! ¡¿QUÉ haces?!", grité. "Deja eso AHORA mismo antes de que haya un accid...".

Y en ese momento Brianna dijo: "¡UPS!".

Brandon y yo vimos con horror el ¡SUPERDESASTRE!
¡La crema de caramelo empezó a chorrearle por el
suéter hasta que quedó toda cubierta de aquella
masa PEGAJOSA!

BRIANNA, PEGAJOSA DE ARRIBA ABAJO.

¡GENIAL! ¡¡☹!! Agarré papel de cocina para limpiarla pero en ese momento empezó a oírse un estruendo increíble procedente del microondas.

¡POP-POP! ¡POP-POP-POP! ¡POP!
¡POP! ¡POP-POP! ¡POP-POP-POP!
¡POP-POP! ¡POP! ¡POP-POP! ¡POP!
¡POP! ¡POP-POP! ¡POP-POP-POP!

"¿Qué es ese ruido de fuegos artificiales?", pregunté mirando por la puerta del microondas. Estaba completamente lleno de palomitas. "¡Brianna! ¡¡¿QUÉ hiciste?!!".

"Hice exactamente lo que TÚ me dijiste. ¡Metí CUATRO bolsas durante TRES minutos para hacer UNA ración!", me gritó.

"¡¡NOOO!! ¡Las instrucciones decían UNA bolsa durante CUATRO minutos para hacer TRES raciones!", rugí.

"¡¡UPS!!", volvió a murmurar Brianna.

Dutuve el microondas y abrí la puerta. Y me dio el ataque cuando...

¡¡BRIANNA Y YO ACABAMOS ENTERRADAS VIVAS BAJO UNA AVALANCHA DE PALOMITAS!!

¡Qué DESASTRE! Tardamos una hora en limpiar todo aquel CAOS provocado por Brianna.

¡Y ella intentó ayudar! Pero, como seguía cubierta de caramelo, ¡acabó convertida en una bola gigante de palomitas y utensilios de cocina!...

¡BRIANNA, LA BOLA DE PALOMITAS HUMANA!

Como mínimo, era una bola de palomitas humana que estaba muy RICA...

BRIANNA, COMIÉNDOSE A SÍ MISMA.

Por suerte para Brianna, Brandon pudo llenar una taza de crema de caramelo con lo que había quedado en el tazón y yo había salvado muchas palomitas que seguían en el microondas.

¡Y así Brianna logró preparar una docena de bolitas de palomitas que se llevó a la reunión de scouts!

LAS BOLITAS DE PALOMITAS DE BRIANNA.

De vuelta en casa, Brianna me contó emocionada lo MUCHO que les gustaron a TODAS las niñas sus bolitas de palomitas. ¡Todas pedían MÁS!

¡Y me enseñó la insignia de cocinera que ganó!...

LA INSIGNIA DE COCINERA DE BRIANNA.

Felicité a mi hermanita y le dije lo orgullosa que estaba de que NO se hubiera rendido.

Y la abracé muy fuerte.

¡También estaba orgullosa de mí por ser una hermana mayor madura, comprensiva y paciente! ¡☺!

HASTA que Brianna me pidió que le ayudara a ganar la insignia de cocinera gourmet, para la que hace falta pensar, preparar y servir una cena gourmet de cuatro platos para seis personas.

Subí corriendo y GRITANDO a mi habitación, cerré la puerta y me escondí en el armario.

¡Lo siento, pero cocinar con Brianna es una actividad arriesgada y peligrosa, y juro que no volveré a repetirla NUNCA JAMÁS! ¡¡☹!!

¡A no ser, claro, que venga BRANDON a hacer de ayudante de chef de Brianna!

¡¡YAJUUUUU!!

¡¡☺!!

¡MADRE MÍA! ¡Qué CONTENTA estaba de volver al WCD! ¡Me daban ganas de BESARLO todo!

¡Las paredes, el suelo, mi casillero, mis libros y a mi guapísimo AMOR SECRETO, Brandon!

¡¡YAJUUUUU!! ¡☺!

Todo el mundo contaba historias emocionantes sobre las escuelas a las que habían ido y los amigos que habían hecho.

Brandon, Chloe y Zoey dijeron que se la pasaron muy bien en el South Ridge en compañía de Max C.

Yo, por supuesto, presumí de la GRAN fiesta que organicé para mis veintidós nuevos amigos del club de ciencias de la NHH y les enseñé fotos de la reunión.

A todos les impresionó mucho mi rápida popularidad.

Total, que mi día era PERFECTO... hasta que recibí un mail muy raro y preocupante del director Winston:

Lunes, 19 de mayo

PARA: Nikki Maxwell

DE: Director Winston

Asunto: MacKenzie Hollister

Querida Nikki Maxwell:

Te notifico por la presente que MacKenzie Hollister ha solicitado una reunión urgente en mi despacho para el martes 20 de mayo, a las 10:00 h, en relación con un asunto personal que te atañe.

Ruego puntualidad.

Muchas gracias,

Director Winston

¡¡GENIAL!! ¡¡☹!!

El viernes era bastante obvio que MacKenzie y Tiffany seguían en guerra.

Pero ¿POR QUÉ me iba a afectar eso a MÍ en MI escuela?

Creía que todo el lío de la NHH estaba resuelto.

Entonces recordé el último día de MacKenzie en el WCD hace cosa de un mes.

Me amenazó con presentar una denuncia falsa contra mí por ciberacoso.

Pero, ¿ahora? ¿POR QUÉ iba a hacerlo AHORA?

No lo entendía, pero entenderlo tampoco cambiaba nada.

Estaba a punto de vivir mi peor pesadilla.

¡¡☹!!

¡Hoy tenía la reunión con el director Winston y estaba hecha un manojo de nervios! ¡☹!

"¿O sea que esto es lo que recibo por ayudar a esa reina del melodrama a sacarse un bicho del pelo?", murmuraba mientras iba hacia allí. "¡NUNCA MÁS!".

En abril, una de las amienemigas de MacKenzie la grabó secretamente durante un ataque de HISTERIA que le dio cuando supo que tenía un bicho en el pelo y luego mandó por celular el video a algunos amigos.

El video empezó a circular por toda la escuela y un día a la hora del almuerzo MacKenzie agarró a sus amigos GPS mirándolo y riéndose de ella a sus espaldas.

MacKenzie estaba tan enojada y se sentía tan humillada que rompió la amistad con su BFF, Jessica, y pidió a sus padres que la cambiaran a otro colegio.

Como le dijeron que no, MacKenzie decidió ocuparse personalmente del asunto y subió de forma anónima en YouTube el video del bicho...

¡MACKENZIE SUBE
SU VIDEO DEL BICHO!

MacKenzie MINTIÓ y le dijo a sus padres que la situación empezaba a ser grave porque Nikki Maxwell (¡¿YO?!) había subido el video y la estaba sometiendo a ciberacoso.

¡Le rogó a sus padres que la trasladaran a la Academia Internacional North Hampton Hills!

Como SIMULÓ un berrinche histérico y monumental digno de un Óscar, sus padres, preocupados, cedieron y aceptaron cambiarla de colegio.

¡Es triste pero cierto! ¡MacKenzie Hollister es tan cruel y maquiavélica que fue capaz de hacerse un AUTOCIBERACOSO!

Total, que cuando llegué a la secretaría para la reunión, MacKenzie ya estaba allí, repasándose el brillo de labios. La secretaria no estaba porque era su turno de descanso y la puerta del director estaba cerrada.

"¡Hola, MacKenzie!", dije un poco cohibida.

Me miró como si fuera algo grande, verde y viscoso que acabara de estornudar en un pañuelo.

Intenté por última vez hacerla entrar en razón.

"¿Por qué lo haces, MacKenzie? ¡No tiene ningún sentido!".

"¡Pues tengo DOS razones muy buenas! La primera es que, si te expulsan por ciberacoso, todos los de la NHH creerán que YO decía la verdad y que TÚ mentías. La segunda es que ahora Tiffany te ODIA tanto como yo, sobre todo desde que deshiciste su club de selfies. ¡Cuando haya ACABADO contigo, me ADORARÁ y nos haremos BFF!".

"¿De verdad CONFÍAS tanto en Tiffany como para ser BFF?".

"¡Claro que NO! ¡Sólo FINGIRÉ que soy su BFF... hasta que le clave un puñal por la espalda, la deje ante los demás como un bicho raro adicto a las selfies, ponga a todos sus amigos contra ella y le robe el título de ABEJA REINA! ¡Todo forma parte de mi plan maestro estudiado al milímetro!".

"A ver si entendí, MacKenzie. ¿Tú MENTIRÍAS sobre mí y me DESTROZARÍAS por completo la vida sólo para poder ir contra una de las populares de la NHH?".

"¡POR SUPUESTO! ¡Pero no es nada personal, querida! Me doy cuenta de que probablemente todo esto es por MI culpa. Pero no te imaginas lo ESTRESANTE y HUMILLANTE que fue tener aquel asqueroso y enorme BICHO pegado en el pelo".

¡Está claro que esta chica no vive en el mundo real y que tiene un EGO más grande que su colección de brillos de labios!

"¡Lo siento, MacKenzie! Pero, como víctima de un caso REAL de ciberacoso —gracias a TI, por cierto—, te daré un consejo muy muy valioso: ¡¡¡SUPÉRALO YA!!!".

"Tranquila, lo superaré. ¡¡En cuanto te EXPULSEN!!", se burló. "Sólo tengo que convencer al inútil del director Winston de tu culpabilidad. ¡Se creerá todo lo que yo le diga!".

Entonces MacKenzie sacó un espejo de su bolsa y, ante mi alucine, ¡se puso a ensayar LLANTOS!

"¡Director Winston!", dijo entre falsos sollozos. "¡Nikki me acosó y fue horrible! ¡Con mis propios ojos la vi subir ese video! ¡¡Por favor, AYÚDEME!!".

MACKENZIE, ENSAYANDO SU FALSA LLORADERA.

227

"¡Y TÚ eres una MENTIROSA patológica!", le repliqué.

"¡Huy, lo dices como si eso fuera MALO!", dijo.

De repente se abrió la puerta y entró una mujer vestida muy moderna seguida de un cámara.

MacKenzie y yo nos miramos intrigadas.

"¡¿Y ahora qué hiciste, MacKenzie?! ¡¿Llamar a una emisora de NOTICIAS nacional?!", protesté.

"¡No, señora!", contestó. "No tengo ni idea de qué hace esta gente aquí".

"¡Disculpen! ¿Tienen un momento?", preguntó la reportera. "¡Somos del noticiario de TeenTV!".

"¿TeenTV?", gritó MacKenzie. "¿Nos van a filmar aquí en la escuela? ¡Porque entonces yo antes tengo que ponerme mi brillo de labios de alta definición!".

"Bueno, depende", contestó la reportera. "Hemos venido para preguntar por un video que se subió en

YouTube el pasado 21 de abril. Era sobre una chica que tenía un bicho en el p...".

"¡OH, CIELOS, Nikki! ¡¿Les enviaste aquel video tan humillante del bicho?!", gritó MacKenzie. "¡¿Por qué quieres ARRUINARME la vida?! ¡Me encerraré en el almacén de material hasta que se vayan!".

MacKenzie me agarró y me EMPUJÓ contra la reportera.

"Entrevístela a ELLA. TODO es culpa suya. ¡Pero tenga cuidado: es tan HORRIBLE que les puede ROMPER la cámara!", dijo burlándose.

"¡Vuelve a darme un EMPUJÓN así, niña, y verás lo HORRIBLE que me puedo volver!", contesté.

Pero sólo lo dije en el interior de mi cabeza y nadie más lo escuchó.

Como la secretaria todavía no había vuelto, el director Winston estaba en su despacho y MacKenzie se había encerrado en el almacén de material, suspiré y acepté a regañadientes hablar con la reportera.

"Buscamos a una alumna que se llama Nikki Maxwell", dijo ella. "¿La conoces? Cuando llamamos ayer hablamos con una tal Jessica, que estaba ayudando en la secretaría y nos dio ese nombre".

"¡Pues justamente ella es YO! Quiero decir que... que yo soy ELLA, o sea yo... ¡Ay! ¡Que YO soy Nikki Maxwell!", tartamudeé incoherentemente.

"¡Fantástico!", contestó. "¡Prepara la cámara, Steve!", dijo a su acompañante. "¡Les habla Jade Santana, en conexión en directo con una exclusiva para TeenTV!".

Aunque hace unos meses yo ya salí en la tele (¡es una larga historia y otro diario!), me puse a moverme nerviosa y sonreí estúpidamente a la cámara.

¡Me costó mucho no agarrar el bote de basura más cercano, ponérmelo en la cabeza y salir de allí corriendo y GRITANDO!

La reportera siguió hablando: "Estoy aquí con Nikki Maxwell, la realizadora y creadora de un video que se ha hecho VIRAL y está arrasando en TeenTV y en todo el país... ¡el BAILE DE LA CHINCHE!", exclamó Jade. "¡Felicidades, Nikki! ¡¡Has sido nominada para los Premios más Gustados TeenTV al Mejor Video Viral del Año!! ¿Cómo te sientes?".

En ese momento, la puerta del almacén de material empezó a abrirse poco a poco.

Y se asomó la cara muy atónita y sorprendida de MacKenzie.

"¿Que cómo me siento? Pues... ¡BASTANTE confundida!", murmuré. "¿Me puede repetir todo desde el principio, por favor? ¡Creo que no lo he acabado de entender!".

"Pues te decía, Nikki, que los adolescentes de todo el mundo han hablado ¡y les ENCANTA tu video!", dijo Jade. "¿Te imaginabas que podía convertirse en viral?".

¡¡YO, SIENDO ENTREVISTADA POR TEENTV POR EL MEJOR VIDEO VIRAL DEL AÑO!!

De pronto mi entrevista con Jade se vio BRUSCAMENTE interrumpida.

"¡ALTO! ¡Tienen que entrevistarme a MÍ, no a ELLA!", gritó MacKenzie saltando ante mí. "¡Yo soy la PROTAGONISTA de verdad de ese video!".

Se acercó mucho a la cámara y puso CARA DE PATO. ¡MADRE MÍA! ¡Qué pinta!

"Perdón, pero ¿tú QUIÉN eres?", se extrañó Jade.

"¡MACKENZIE HOLLISTER! ¡Yo soy la que subió ese video viral de —¿cómo lo llamó?— el Baile de la Chinche que está arrasando por todo el país! ¡NO esta patética IMPOSTORA!", dijo señalándome.

"Un momento, MacKenzie", exclamé. "¡¿Quieres decir que, después de un mes difundiendo rumores horribles y diciéndole a TODOS que yo había subido el video del bicho, AHORA vas a CAMBIAR la historia?!".

"Nikki, ¿de verdad crees que me voy a quedar callada como una IDIOTA dejando que TÚ te lleves el crédito de todo MI esfuerzo?!", gritó MacKenzie. "¡Ni MUERTA!".

Jade y el camarógrafo se miraron sin entender nada. "A ver, chicas, tendrán que resolverlo rapidito porque vamos a acabar este segmento en sesenta, no, ¡cincuenta segundos!", dijo Jade mirando su reloj.

No podía creer que tuviera la posibilidad de acabar con esta PESADILLA de UNA VEZ POR TODAS.

"O sea, a ver si entendí, MacKenzie: ¿estás dispuesta a admitir en la televisión nacional que TÚ subiste adrede ese video y que YO no tengo absolutamente nada que ver con él?", pregunté.

"¡SÍ! ¡Lo has expresado muy bien!", masculló. "¡Confiésalo! ¡Ya te GUSTARÍA a ti tener BICHOS en el pelo como yo! ¡Éste es MI momento! ¡Deja de intentar robarlo, ASPIRANTE aburrida y sin talento!".

"¡Hola, les habla Jade desde nuestra conexión directa para TeenTV! Bueno, MacKenzie, cuéntanos cuándo se te ocurrió el concepto para tu fantástico video...

¡MACKENZIE, ENTREVISTADA POR TEENTV
SOBRE SU VIDEO VIRAL!

"Cuando eres una bailarina experimentada tan BUENA como yo, ¡todo sale de forma natural! Un día estaba limpiando las regaderas del vestidor de chicas cuando noté que por la cabeza me subía, er... una idea. Luego, en clase, la idea se me enredó en el pelo y... se convirtió en inspiración. Me hizo llorar y todo. ¡Lágrimas de alegría! Y después, para expresar las intensas emociones que estaba sintiendo, ¡me puse a gritar! ¡Y a saltar y botar! Luego llegué a vomitar, er... ¡pasión! Y, como sentía la necesidad de sacar mi video a la luz y compartirlo con el mundo, lo subí en YouTube. Y, Jade querida, ¡el resto es historia!", concluyó con gran dramatismo MacKenzie.

¡NO lo podía creer! ¡MacKenzie acababa de confesarlo todo en la tele nacional! Suspiré aliviada y seguí mirando su patético espectáculo.

"Cuéntanos qué planes tienes para el futuro", dijo Jade.

"Bueno, pues estoy abierta a hacer apariciones estelares en todos los programas de baile más populares de la tele. ¡Mi misión es revolucionar internet con mi avanzado arte de danza y creo que estoy en buen camino para conseguirlo!".

"¡Qué palabras tan INTENSAS!", dijo Jade admirada. "¿Y nos podrías decir qué artista de performance te ha inspirado más?".

"¡NINGUNO! ¡Casi todos ellos se inspiran en MÍ!", presumió MacKenzie.

Yo no sé si eran las luces tan brillantes de la cámara que me habían afectado los ojos, pero mientras miraba la entrevista de MacKenzie, ¡le veía la cabeza cada vez más grande!

¡MADRE MÍA! Tenía el EGO tan hinchado que dejaba estrías.

De hecho, ¡yo rezaba para que terminaran la entrevista antes de que le REVENTARA la cabeza en directo!

¡¡BUMMM!!

Cuando se acabó la entrevista de TeenTV, los pasillos se empezaron a llenar de alumnos que se lanzaron hacia MacKenzie...

CLUB DE FANS DE MACKENZIE.

Le suplicaban un autógrafo y se tomaban selfies con ella como si fuera una de las actrices mejor pagadas de Hollywood, por lo menos.

Gracias a la FAMA recién adquirida, ¡¡MacKenzie decidió CANCELAR la reunión con el director Winston!!

Lo que significa que ya no tengo que preocuparme por si me echan de la escuela por culpa de las acusaciones falsas de ciberacoso. Como MacKenzie acababa de confesar en la televisión nacional que ELLA subió el video, se acabó el DRAMÓN.

¡¡PARA SIEMPRE!!

¡¡YAJUUUUUU!!

¡¡☺!!

¡MADRE MÍA! ¡Me siento TAN aliviada! ¡Como si me hubieran quitado un peso de encima! ¡De una tonelada!

Al final superé el programa de intercambio de alumnos de North Hampton Hills.

TODAVÍA puedo aspirar al fabuloso viaje a París.

¡Aquella DIVA adicta a las selfies, Tiffany Blaine Davenport, ya salió de mi vida para SIEMPRE!

¡Y el MONTAJE de MacKenzie con el ciberacoso ya se acabó del todo!

Sin embargo, cuando hoy después de comer Chloe, Zoey y yo pasamos por la secretaría, vimos algo EXTRAÑÍSIMO.

¡MacKenzie buscaba frenéticamente en la caja de objetos perdidos como si hubiera perdido la CABEZA! Y Jessica la estaba ayudando...

¡MACKENZIE BUSCA SU
DIARIO PERDIDO!

¡Entonces recordé que había PERDIDO su diario de piel de leopardo y NO lo había vuelto a encontrar! ¡Pero en realidad era MI DIARIO que ella me había ROBADO y disimulado con una funda de estampado de leopardo (otra LARGA historia)! ¡Al menos lo recuperé!

Pero el caso es que ya es oficial: ¡MacKenzie anunció que dejará la NHH y volverá al WCD!

Supongo que esto significa que a MÍ me ODIA MENOS de lo que ODIA a Tiffany.

Y, como su video se hizo viral, recuperó su trono como reina de las GPS.

Según los últimos chismes, MacKenzie y Jessica vuelven a ser BFF. Ya están pensando en rodar la segunda parte del video del bicho.

Por desgracia para mí, le volvieron a dar el casillero que hay junto al MÍO.

¡¡GENIAL!! ¡¡☹!!

MacKenzie estuvo fuera CINCO semanas y hace sólo unas horas que volvió.

¡Pero me siento como si nunca se hubiera IDO!

Sólo espero que sus experiencias en la Academia Internacional North Hampton Hills le hayan dado una buena lección y le permitan mejorar.

Aunque posiblemente debería ¡esperar SENTADA! ¡☹!

Yo ya estoy contenta con estar de vuelta en el WCD con mis amigos Chloe, Zoey y Brandon.

Y, aunque MI vida no es ni mucho menos perfecta, ¡me siento MUY feliz de que me la hayan devuelto POR FIN!

¿QUE POR QUÉ? Porque...

¡¡Soy tan BOBA!!

¡¡☺!!

AGRADECIMIENTOS

Liesa Abrams Mignogna, mi INCREÍBLE directora editorial. ¡Gracias por tu paciencia eterna y por tu apoyo. Tienes el don exclusivo de oír la voz de Nikki incluso antes de que diga nada.

Un agradecimiento especial a mi BRILLANTE y CREATIVA directora de arte Karin Paprocki y a mi ALUCINANTE editora jefe Katherine Devendorf. ¡Gracias por todo lo que hacen! Lo que me han guiado y ayudado no se puede pagar.

Daniel Lazar, mi EXCELENTE agente en Writers House. Gracias por tu amistad, tu apoyo y por ayudar a los Diarios de Nikki a convertirse en un superventas mundial.

Un agradecimiento especial a mi Equipo Bobo de Aladdin/Simon & Schuster: Mara Anastas, Mary Marotta, Jon Anderson, Julie Doebler, Faye Bi, Carolyn Swerdloff, Lucille Rettino, Matt Pantoliano, Tara Grieco, Catherine Hayden, Michelle Leo, Candace McManus, Anthony Parisi, Christina Solazzo, Lauren Forte, Jenica Nasworthy, Kayley Hoffman, Matt Jackson, Ellen Grafton, Jenn Rothkin, Ian Reilly,

Christina Pecorale, Gary Urda y toda la gente de ventas. ¡Son lo MÁXIMO de lo MÁXIMO!

A Torie Doherty-Munro de Writers House; a mis agentes internacionales Maja Nikolic, Cecilia de la Campa y Angharad Kowal; y a Deena, Zoé, Marie y Joy... ¡gracias por ayudarme a embobar el mundo!

Y, por último, cómo no, a Erin, mi coautora supertalentosa, y a Nikki, mi ilustradora supertalentosa. Kim, Doris y el resto de mi familia, ¡los quiero un montón!

¡Y no se olviden de dejar asomar su lado BOBO!

Rachel Renée Russell es la autora de

la serie *Diario de Nikki*, que ocupa la primera posición de la lista de libros más vendidos del *New York Times*, y de la serie protagonizada por Max Crumbly.

Se han publicado 30 millones de sus libros en todo el mundo y se han traducido a 37 idiomas.

A Rachel le encanta trabajar con sus dos hijas, Erin y Nikki, que la ayudan a escribir e ilustrar sus libros.

El mensaje de Rachel es "¡Y no se olviden de dejar asomar su lado bobo!".

OBRAS DE
Rachel Renée Russell

Diario de Nikki 1:
Crónicas de una vida muy poco glamorosa

Diario de Nikki 2:
Cuando no eres precisamente
la reina de la fiesta

Diario de Nikki 3:
Una estrella del pop muy poco brillante

Diario de Nikki 3½:
¡Crea tu propio diario!

Diario de Nikki 4:
Una princesa de hielo muy poco agraciada

Diario de Nikki 5:
Una sabelotodo no tan lista

Diario de Nikki 6:
Una rompecorazones no muy afortunada